T3-BOD-098

ÉCRITS POLÉMIQUES
2. LA CULTURE
est le cent trente-sixième ouvrage
publié chez
VLB ÉDITEUR.

DU MÊME AUTEUR CHEZ LE MÊME ÉDITEUR

ÉCRITS POLÉMIQUES
1. LA POLITIQUE

CE

Pierre Bourgault

Ecrits polémiques 1960-1983

2. La culture

vlb éditeur

VLB ÉDITEUR
2016, rue Sherbrooke Est
Montréal
H2K 1B9
Tél.: 524.2019

Maquette de la couverture:
Mario Leclerc

Photos:
Denis Plain

Traduction des textes de *The Gazette:*
Jacques Lanctôt

Photocomposition:
Atelier LHR

Distribution en librairies et dans les tabagies:
AGENCE DE DISTRIBUTION POPULAIRE
955, rue Amherst
Montréal
H2L 3K4
Tél.: à Montréal — 523.1182
de l'extérieur — 1.800.361.4806
1.800.361.6894

Dépôt légal — 2e trimestre 1983
Bibliothèque nationale du Québec
ISBN 2-89005-174-9

À Steeve

Préface

L'éloignement d'Auguste

Auguste rêvait de nous décrocher la lune, jusqu'au moment où il s'est aperçu qu'il n'y avait jamais personne pour tenir l'échelle. Pendant dix ans, il a vécu de promesses de liberté, d'indépendance. Il regardait l'astre et nous appelait à la rescousse. Le défi était trop beau, trop majestueux pour qu'on s'en passe.

D'autres sont arrivés, expérimentés, convaincants, entourés d'une machinerie de marketing moderne, électorale, impressionnante. Timide, réservé, mais surtout convaincu de la lune à tout prix, il a rangé son escabeau et s'est assis sur le parapet de la piste.

Coi mais curieux de nature, il a suivi le spectacle; il a regardé, en expert du rêve, les autres performances et il a admis, en bon professionnel, que son rêve était tout aussi applicable autour de lui que là-haut.

La scène lui a appris que la polémique et le défi tiennent peut-être beaucoup moins de la politique et de ses ambitions de grandeur, engoncées dans des institutions vieillottes, lourdes, obèses et crasseuses, que des transformations imperceptibles de la culture. Il a bien vu que cette comédie des gens, la culture, n'est pas un artifice, mais la sensibilité de chacun qui se cherche comme vérité collective.

Clown, donc poète de l'action, il est devenu fabricant de culture, une culture rêvée, mais quasi accessible. Il a préparé des numéros sur la tendresse, sur la jalousie, sur la solitude. Il a applaudi d'autres artistes

(Richard, Villeneuve). Mais comment Auguste pouvait-il incarner autre chose que le désir inatteignable? De quel droit pouvait-il nous ramener aussi brusquement sur terre?

On a tous besoin d'un kamikase de l'espoir, d'un casse-cou de l'inaccessible. Même si on fait semblant de ne pas le prendre au sérieux, même si on ne vote jamais pour lui. Son masque lui était imposé et lui collait au visage. Vaniteux, comme n'importe quel artiste, il a tout essayé allant même jusqu'à se déguiser en femme.

Et tranquillement, il a négocié son ambiguïté. Peu à peu, il s'est senti confortable dans l'image justement inconfortable qu'il dégageait. N'a-t-il pas toujours été tourmenté, troublé, démuni? Sa vérité et celle de son public se sont réconciliées, en devenant plus diffuses, plus troubles, mais combien plus amoureuses et entières.

À côté des longues échelles frêles et technocratiques des autres, timidement il a ressorti son escabeau. Et autour d'elle, il joue à nouveau: fort de son désir, il affirme, transparaît, échappe. Il enrage, évite et pourtant aime. Il crie, craint, meurt et appelle. Rhéteur, il plaide, exige, crâne, mais aussitôt après souffre, s'efface, se retire sur une dernière blague. Sa conviction séduit toujours; il s'en sert généreusement, ironise, démasque, frappe, mais pour mieux se cacher, retrouver son espace et son miroir de loge.

Désormais contre la fatuité ou la bêtise, il se sert du déguisement tactique et du retranchement. Contre la méfiance, il maintient la sincérité et la vanité amoureuse. Contre la hargne doctrinaire et l'hystérie, il entretient l'humour acéré. En se transformant, il a fait de la culture chose courante, parlable, subtile, au-delà de la mièvrerie morale média.

Il demeurera partagé entre la raison et le raisonnable au prix d'être étonnant, absurde, misanthrope, généreux par défaut, aussi désespéré que son public.

Il est l'histoire qu'il joue: drôle et inquiétant, dévoilant la souplesse nécessaire du sentiment, l'économie inévitable de l'émotion, la magie de l'inutile et l'étroitesse sympathique de l'intelligence.

Auguste s'est redonné le droit de vivre, fort d'une nouvelle liberté enfin acquise, liberté de la séduction et du jeu, liberté du sentiment doux ou passionné, liberté de la déception face à la lune, mais aussi liberté de soi sur la scène.

JEAN-PIERRE DÉSAULNIERS

Avant-propos

Un premier tome des *Écrits polémiques* qui parlait de politique, un deuxième qui parle de culture. Évidemment, la distinction est oiseuse et plutôt artificielle. Comment en effet pourrait-on affirmer sans se couvrir de ridicule que la culture c'est toute la vie, abstraction faite de la politique?

Les exigences du métier nous obligent à faire de ces distinctions abusives qui ne trompent évidemment personne mais qui ne sont pas propres à nous sortir de la confusion.

Quoi qu'il en soit, voici un livre où l'on parle de tout sauf de culture. Tout simplement parce que je fais une indigestion de culture. Je ne peux plus tolérer qu'on la définisse, je ne peux plus accepter qu'on l'organise, je ne peux plus en supporter la promotion, je ne peux plus en entendre la discussion.

Ne pas la dire mais la faire. Ne pas la discuter mais la créer. Ne pas la définir mais la constater. Elle est ou elle n'est pas.

Je ne dirai qu'une chose qui semble relever de l'évidence: la culture est un fourre-tout indescriptible où chacun s'amuse à tenter d'y trouver son compte, à défaut de quoi on peut au moins tenter d'y découvrir son plaisir. La culture, c'est peut-être le plaisir sublimé?

Ce livre est un fourre-tout. Il y en a pour tous les appétits et pour tous les sens. Il y en a peut-être pour l'intelligence. Tant mieux si vous y trouvez votre compte. Tant mieux si vous en tirez quelque plaisir.

Je vous dois pourtant une explication: Chantal Bissonnette, c'est moi. Elle est née par hasard, sans que j'eus à l'inventer.

Un jour que René Homier-Roy, qui dirigeait le magazine *NOUS*, m'avait demandé de traduire un texte américain qui tentait de faire la distinction entre le langage des hommes et celui des femmes, je m'aperçus vite de l'ennui qu'il distillait. Il se voulait amusant, il était plat comme un chien écrasé. Il se voulait provocant, il était terne comme un lundi soir en compagnie de Claude Ryan. Il se voulait cochon, mais il ne lui restait du cochon que l'envie d'en être.

Il était par ailleurs écrit par une femme qui se plaignait de ne pas pouvoir parler comme les hommes.

Texte ennuyeux et futile. Je proposai donc à Homier-Roy de lui écrire un texte original sur le même sujet. Il accepta d'emblée.

C'est donc en m'amusant beaucoup que je tentai d'entrer dans la peau d'une femme qui réclamait le droit de parler «cochon» au même titre que les hommes le faisaient.

Il fallait lui trouver un nom: je trouvais que Chantal Bissonnette lui allait comme un gant. Elle était née.

Pour mourir aussitôt, pensais-je. Erreur. Elle eut tant de succès qu'on me demanda de récidiver. Le personnage était créé, il suffisait de le faire vivre. Elle n'eut pas de peine à se faire un peu scabreuse sur les bords, prototype imaginé et aberrant de la femme libérée. Il ne fallait pas trop y croire et on pouvait s'en amuser.

On y crut. On l'invita à Radio-Sexe, on lui fit des propositions plutôt obscènes, on lui offrit des tribunes sur lesquelles elle ne pouvait évidemment pas monter, et pour cause. Homier-Roy la cachait du mieux qu'il pouvait.

J'écrivis quelques textes que je signai de son nom. Puis, devant la difficulté de me mettre dans la peau d'une femme, devant la difficulté de «tenir le personnage», je renonçai bientôt et Chantal mourut vite de sa belle mort.

Non sans avoir fait quelques ravages. Certaines de mes amies féministes avaient eu vent de l'affaire (grâce à mon indiscrétion), et se déclaraient furieuses d'avoir été ainsi trompées. Je leur offris donc le personnage en tentant de les convaincre de s'en servir pour faire passer leur message.

Elles n'en voulurent pas. Chantal Bissonnette était bien morte. Je la regrette un peu et, surtout, je ne la renie pas. Parce que, je vous l'avoue, elle pense un peu beaucoup comme moi.

Voilà donc l'histoire de Chantal Bissonnette. Fait-elle partie de la culture québécoise? A-t-elle pondu des «écrits polémiques»? Reconnaîtrait-elle en moi son frère jumeau? Tout cela est sans importance puisque je l'aime.

Je vous la livre en pâture, parce que je sais qu'elle ne demanderait pas mieux.

Ce livre est un fourre-tout et vous n'aurez pas de peine à vous en convaincre.

Si j'ai l'air de m'y éparpiller, c'est que je m'intéresse à tout. J'ai toujours trouvé que la vie était trop riche et trop complexe pour la réduire à une simple spécialité. Cette approche n'est pas sans danger puisqu'elle peut conduire à la superficialité. Mais elle n'est pas sans mérite puisqu'elle peut conduire à une appréhension plus globale des êtres et des choses.

Prendre son plaisir là où il se trouve. Or, s'il est partout, pourquoi n'y pas courir?

C'est ce que je fais depuis cinquante ans, au risque de brouiller les pistes, au point de ne pouvoir jamais reconnaître le chemin parcouru. Au risque qu'on ne puisse me retrouver. Au risque d'être forcé de toujours avancer.

Sentiments

Pour un peu de tendresse...

Si forte soit la constitution physique, le cœur et l'âme restent fragiles. Dieu merci! il y a la tendresse qui se fait l'abat-jour de la passion quand celle-ci, brillant d'un éclat trop brutal, risque d'aveugler qui elle voudrait éclairer sous le meilleur jour.

J'ai le plus grand respect pour ce sentiment mal connu et mal servi qu'on appelle la tendresse. C'est un sentiment discret, modeste, qui n'a rien de spectaculaire. Pourtant, il a toujours fait plus pour rapprocher les personnes que les amours les plus violentes et les amitiés les mieux affirmées.

Être tendre, n'est-ce pas aussi tendre vers?

La tendresse est une inclination qu'on prête plus volontiers aux femmes qu'aux hommes. Ne va-t-on pas parfois jusqu'à l'interdire à ces derniers sous prétexte qu'elle ne fait pas «viril» ou qu'elle ne saurait se porter en société?

Et pourtant, pourtant...

L'âge tendre est l'âge du cœur qui ne s'est pas encore durci. Pourquoi cet âge ne serait-il pas celui, éternel, de tous les hommes et de toutes les femmes de la terre?

Pourquoi se refuser d'être sensible aux êtres et aux choses? Au nom de quel principe ou de quelle habitude devrait-on renoncer à s'émouvoir sur la beauté d'un geste, sur la pudeur d'un regard, sur la gratuité d'une offrande?

La tendresse, c'est le baume qui adoucit la plus violente des altercations quand elle éclate entre deux êtres qui s'aiment profondément.

La tendresse, c'est aussi tout ce qui reste à deux êtres qui, une fois l'amour consommé, se voient acculés à la rupture définitive. C'est la mémoire de l'amour.

Il faut souvent que la bouche se taise pour que le cœur parle; le langage de la tendresse n'est-il pas alors tout indiqué pour exprimer la totalité d'un sentiment que les mots seraient impuissants à rendre dans toute son ampleur?

La tendresse n'est-elle pas aussi la seule façon d'exprimer son amour à un enfant qui ne saurait pas apprécier autrement la violence des amours de l'âge mûr?

C'est la tendresse qu'on réclame quand on se couche à côté de quelqu'un, non pas pour faire l'amour, mais pour éviter d'être seul.

C'est encore à elle qu'on fait appel quand, ayant épuisé en vain toutes les ressources du cœur amoureux, on veut briser les dernières résistances de celui ou de celle qui se dérobe.

La tendresse adoucit les mœurs, bien plus et mieux que ne saurait le faire la musique.

L'homme qui sait être tendre n'hésitera pas à démontrer quelque mansuétude même envers son pire ennemi, et c'est à cause de la tendresse qu'on réussit parfois à éviter les écarts les plus périlleux et les maladresses les plus blessantes.

Contrairement à ce qu'on est généralement porté à croire, la tendresse ne peut en aucun cas être assimilée au sentimentalisme pleurnichard de ceux qui, incapables de se laisser aller à la générosité des grands sentiments, se replient sur eux-mêmes pour mieux déplorer leur sort. Elle sied bien à l'âme en détresse, mais l'âme faible serait bien incapable d'en assumer le poids.

J'aime les hommes et les femmes tendres qui se laissent pencher plutôt que tomber vers moi, qui m'offrent des fleurs en ne m'annonçant pas qu'elles seront bientôt fanées, qui boivent dans mon verre sans en essuyer la corolle, qui me tiennent dans leurs bras en me taisant, pour ne pas m'attrister, leur prochain départ.

Car c'est bien de cela que je veux parler quand je dis que la tendresse est l'abat-jour des passions.

L'amitié a des franchises parfois insupportables. Si la tendresse ne s'y ajoute pas pour laisser quelque coin d'ombre où l'imagination peut s'évader, l'éclairage trop cru risque de brûler les paupières qu'on voudrait dessiller.

L'amour a des élans parfois incontrôlables. C'est alors la tendresse qui sert à rétablir le juste équilibre, à découvrir la caresse sous l'apparent assaut.

La timidité se pare de tendresse pour échapper à ses propres lois et la colère elle-même, une fois assouvie, ne trouve qu'en elle l'ultime refuge où elle pourra s'évanouir.

J'aime les peaux tendres qu'on dirait faites pour croquer mais qu'on peut tout au plus effleurer de ses lèvres humides. Non pas qu'elles soient aussi fragiles qu'on le croirait à première vue, mais la morsure, de toute évidence, ne leur siérait pas. Je sais très bien, au fond de moi-même, qu'elles sont trop dures pour être brisées, mais je sais aussi que, sur elles, la caresse trop rude risquerait de se changer en blessure.

Si la tendresse est l'arme secrète de la réconciliation, elle est aussi le prolongement des départs précipités; elle permet d'espérer les retours et entretient l'ivresse décuplée par l'absence. Elle se fait alors nostalgique et prophétique à la fois. Elle ne se souvient de l'amour que pour mieux l'espérer.

J'aime les cœurs tendres trop facilement blessés. Ils

me forcent à la compassion et m'interdisent cette maudite méchanceté toujours trop instinctive. Ils me rendent meilleur que je ne le suis en réalité car ils ne sauraient tolérer l'agression, si apparemment naturelle fût-elle.

J'aime la tendresse parce qu'il est facile de vivre en sa compagnie. L'amour a des hauts et des bas qui réussissent à déséquilibrer les âmes les plus solides; l'amitié a des exigences presque quotidiennes qui poussent parfois à forcer le rythme de son cheminement; mais la tendresse est toujours égale.

On n'est pas plus ou moins tendre — comme on est plus ou moins amoureux; on est tendre ou on ne l'est pas.

La tendresse n'est pas le reflet du bonheur mais celui du bien-être; c'est en cela qu'elle rend la vie facile à qui l'entretient.

La tendresse des autres m'apaise et la mienne assouplit ce que mon caractère a de trop carré. On doit pourtant se garder de la transformer en complaisance; on la viderait alors de sa noblesse et de sa signification. Elle doit rester ferme en tout temps pour ne pas dégénérer en pitié, voire en mépris. Il en va d'elle comme de tous les autres sentiments: il faut la bien tenir en bride si on ne veut pas la voir se changer en son contraire.

N'est-elle pas d'ailleurs plus qu'un sentiment? Serait-elle vertu? Il faut le croire puisqu'elle ennoblit les passions sans les étouffer et qu'elle apaise les instincts sans les mutiler.

Oui, en vérité, la tendresse est la vertu la plus apaisante qui soit.

J'aime les tendres. Ils ralentissent un peu le rythme de la vie et nous donnent l'impression qu'elle dure plus longtemps.

Nous,
janvier 1978

Tomber en amour

L'amour, de toute évidence, n'est pas compris de la même façon par tout le monde. Pourtant, tous s'entendent pour admettre qu'il s'agit bien d'une passion et que, par conséquent, on le subit plus qu'on le commande.

L'expression «tomber en amour» (merveilleux et commode anglicisme) en dit long sur le sujet.

Mais les Québécois et les Québécoises tombent-ils encore en amour?

Je pense que ça leur arrive autant qu'autrefois mais qu'ils se retiennent bien davantage. On dirait que les jeunes sentent, d'instinct, que l'amour est un esclavage et que, si doux soit-il, les affres dans lesquelles il nous plonge sont bien aussi grandes qu'en sont les délices.

Ils se retiennent aussi par calcul en se disant que tout amour, si grand fût-il, finit toujours par s'éteindre. Imaginant la douleur qui s'ensuivra, ils préfèrent ne pas commencer pour ne pas devoir finir.

C'est une bien mauvaise façon d'envisager les choses. Cela me fait penser à ces gens qui, sachant la mort inévitable, s'en occupent l'esprit à tel point qu'ils en oublient de vivre.

Bien tristes vies que celles-là! Bien tristes amours que celles qu'on imagine terminées avant même de les avoir commencées!

La peur de s'embarquer: elle est facilement observable dans la jeune génération. On peut pourtant la comprendre si on sait qu'il traîne encore dans le paysage quelques vieilles habitudes qui ont de quoi effrayer les plus courageux.

Par exemple, l'habitude de ne s'embarquer qu'une fois et pour la vie. Pour un couple qui a réussi ce genre d'aventure à l'extrême limite du risque, c'est par centaines qu'on observe les échecs. Pas surprenant qu'on cherche autre chose.

Et puis, il y a l'espérance de vie. Lorsque, il n'y a pas si longtemps, l'espérance de vie atteignait à peine quarante ou quarante-cinq ans, on pouvait encore avoir envie d'en passer une partie avec la même personne. Mais lorsqu'on peut s'attendre à vivre soixante-dix ans, on commence à se poser quelques questions: aimerai-je la même personne pendant cinquante ans? Aurai-je envie de passer la plus grande partie de ma vie avec elle? Que me faudra-t-il sacrifier et pour quels avantages?

Les jeunes, en grande partie, jettent tout cela pardessus bord mais ils ne peuvent s'empêcher, par une sorte d'atavisme, d'en être habités. Ce qui, à mon avis, ne devrait pas les empêcher de s'embarquer pour une semaine, six mois ou cinq ans.

La meilleure façon de rater un amour n'est-elle pas d'en imaginer la fin? Pourquoi ne pas prendre ce qui passe quand ça passe. On verra bien par la suite.

En ont-ils seulement envie? Il me semble que oui. Autant que nous en avons envie nous-mêmes. Ils ne rêvent pas moins que nous à leur âge et les plus conscients s'aperçoivent vite que les aventures faciles et multiples finissent par terriblement se ressembler. Ils sont aussi romantiques que nous, même s'ils s'en cachent bien.

Et bon nombre d'entre eux finissent par succomber.

Me trompé-je en affirmant qu'ils le font plus sereinement que nous? Je les trouve plus prudents et moins angoissés devant cette passion qui fut, pour nous, si souvent mortelle. Moins encadrés, moins régis par les contraintes sociales, ils se laissent glisser dans l'amour plutôt que de s'y plonger comme en dernier recours.

Ils croient pouvoir aimer plusieurs personnes à la fois, ce en quoi ils se trompent, mais ils croient en même temps pouvoir aimer plusieurs personnes l'une après l'autre, ce en quoi ils ont raison.

Ce qu'ils ne savent pas et qu'ils n'apprendront sans doute jamais c'est qu'on peut retomber en amour avec la même personne.

«L'amour, a dit quelqu'un, c'est vieillir ensemble!» Ce n'est pas toujours vrai mais ce l'est parfois. Comment expliquer autrement les amours profondes qui habitent de vieux couples qui sont passés de l'amour à la haine à l'indifférence à la rationalisation à l'amitié à l'amour et qui ont tout recommencé tant de fois sans jamais renoncer. Ils croyaient bien ne plus pouvoir jamais s'aimer. Pourtant, comme ils étaient forcés, à une certaine époque, de demeurer ensemble, ils se sont retrouvés soudain comme au premier jour, ils ont redécouvert en eux ce qui les avait d'abord rapprochés, ils ont digéré les pesanteurs de la vie à deux, ils en ont jaugé les avantages et les inconvénients, ils ont élevé les enfants et, après les avoir vus partir, ils se sont retrouvés à deux comme ils l'avaient dès le départ souhaité, ils ont pris des habitudes dont ils ne voudraient plus se départir, ils ont retrouvé des amours qu'ils n'espéraient plus et, lorsque l'un des deux s'en va, l'autre suit, emporté par le chagrin.

Mais a-t-on une chance sur mille d'en arriver là?

Notre société n'a-t-elle pas trop souvent tué l'amour en forçant des gens qui pourtant l'éprouvaient à ne plus le vivre que comme une contrainte aliénante? Pour un couple qui a maintes fois retrouvé l'amour tout au long de sa vie, combien d'autres ne l'ont vécu qu'un moment pour ensuite cesser d'y croire à tout jamais? Combien de couples profondément détruits et pourtant liés pour la vie? Combien qui n'ont vécu qu'un instant du «meilleur» et une éternité du «pire»!

Les Québécois et les Québécoises ont tendance à se montrer sceptiques devant l'amour. Ils voudraient tellement y croire et pourtant...

C'est qu'ils imaginent trop souvent que l'amour est une abstraction et qu'il peut se vivre en dehors des rapports courants d'une société.

Ils croient que l'amour peut se vivre en vase clos et ils oublient trop souvent les écueils extérieurs sur lesquels échouent les plus belles amours.

Ils essaient d'inventer à l'intérieur du couple ou du groupe des rapports d'égalité alors que toute la société les contraint à vivre des rapports de dominants et de dominés. Même dans le couple le plus égalitaire, les influences extérieures s'introduisent subtilement, se glissent furtivement jusqu'au cœur du foyer pour le corrompre.

L'amour, comme les autres passions et tout comme les autres sentiments, ne peut pas se vivre en dehors de certaines règles imposées par la société et c'est une illusion que de vouloir changer l'amour sans modifier ces règles contraignantes.

Tout comme il est une autre règle, qui n'est pas de société celle-là, qui fait subir à l'amour les pires tourments, sans qu'on puisse jamais la contourner aussi facilement qu'on le voudrait: cette règle, c'est la règle de la jalousie.

Elle colle à l'amour comme la peau à l'os et sans elle, hélas! l'amour n'est que squelette.

Je dis hélas! parce que je suis comme nombre de Québécois et de Québécoises qui voudraient bien pouvoir s'en passer sans réussir à le faire.

C'est que l'amour est une passion bien exigeante. Quand on aime vraiment, on s'imagine, à tort ou à raison, avoir trouvé le bien absolu. De là, la volonté de possession totale qui s'empare des amants et qui les plonge dans l'avarice la plus noire. La jalousie est avarice. Mais comment s'en départir?

C'est sans doute pour ne plus «avoir mal au ventre» de jalousie autant que la crainte de la rupture qui font qu'on refuse de s'embarquer.

Notre scepticisme relève de l'observation empirique: nous avons vu tant d'amours brisées que nous finissons par préférer ne plus y croire.

Mais notre crainte relève de l'imagination: nous imaginons que la vie, et partant l'amour, ne peuvent être que ce qu'ils ont été et que toutes les amours ne seront toujours vécues que de la même façon. Nous finissons donc par préférer ne plus y tomber.

Et pourtant...

Et pourtant nous en rêvons encore, secrètement, en nous cachant pour en parler.

Devant l'amour il n'y a pas de Québécois et de Québécoises qui tiennent. Nous ne sommes pas différents des autres. Nous préférons le faire plus que le vivre parce que nous n'avons pas encore appris que le vivre c'est le faire davantage... et mieux.

Nous,
mai 1980

Le mensonge obligé

Le mensonge va si naturellement à l'être humain qu'on se demande parfois s'il n'est pas devenu, chez lui, un besoin primaire, comme manger et dormir.

L'homme le plus honnête ment à l'occasion, ne serait-ce que pour démontrer que la franchise, comme une perle, brille mieux sur un fond noir.

Le mensonge le plus fréquent est celui qui sert, croyons-nous, à nous éviter quelque reproche ou châtiment. C'est très tôt dans la vie que nous apprenons à nous en servir; l'enfant puni comprend vite qu'il est certains actes qu'il vaut mieux ne pas avouer. Il faut une grande force de caractère pour ne pas entretenir, dans l'âge adulte, pareille habitude.

Le mensonge défensif, comme on serait tenté de le nommer, peut servir en toute occasion: on s'en sert pour détourner les soupçons d'un ami trop jaloux, pour masquer son incompétence à un patron trop exigeant, pour confondre un adversaire qui vous serre de trop près, pour rassurer l'être aimé qui demande des comptes, pour tout et pour rien — et surtout pour affirmer son bon droit quand on n'a pas la conscience tranquille.

Si cette forme de mensonge est si fréquente, c'est qu'elle relève plus du réflexe que de la conscience. Elle résulte d'un conditionnement si profond qu'elle en devient presque instinctive. Elle équivaut, sur le plan moral, à l'instinct de conservation qui sert de défense à l'organisme. On ne cesse de mentir de cette façon que quand on n'a plus rien à perdre.

Certains ont le mensonge vantard. Ce sont des imprudents qui risquent de se faire prendre à tout moment. En effet, quelque malicieux se trouve toujours à portée de voix qui n'aura de cesse de tout vérifier pour mieux confondre le prétentieux qui ne résiste pas à l'envie de se montrer sous un jour qui n'est pas le sien.

C'est à ce genre de menteur que s'applique le dicton: «A beau mentir qui vient de loin». Comment vérifier si monsieur, qui nous arrive du Venezuela, fait dans le pétrole ou si madame, dont l'accent ne saurait mentir, fut la maîtresse adorée de l'empereur d'Éthiopie?

C'est encore ce menteur que les Anglais appellent «name dropper»: il parle des grands de ce monde comme s'il les côtoyait tous les jours et on finirait sans doute par le croire s'il portait lui-même un nom dont on pût se servir à bon escient dans les conversations mondaines.

Il existe une parade très simple pour contrer ce genre de vicieux; je m'en suis servi un jour avec une terrible efficacité contre un menteur arrogant qui truffait toutes ses phrases de noms plus importants les uns que les autres. Comme il ajoutait toujours: «Un tel, tu connais?» je répondais non, en affichant une ignorance plus vraie que nature. Il fut si mortifié qu'il préféra bientôt se taire tout à fait. Ce qui me permit, à son grand désarroi, de lui parler enfin de moi.

On ne peut pas en vouloir, c'est certain, à ceux qui mentent par pudeur. Ils ont le constant souci de ne faire de peine à personne. Comme ils savent que la vérité fait souvent mal, ils mentiront avec d'autant plus d'assurance qu'ils croient servir une bonne cause. Ils parleront de sa grande beauté à un laideron qui n'en attendait pas tant. Ils expliqueront avec grandeur d'âme à l'assisté social qui crève de faim que «l'argent ne fait pas le bonheur». Ils croiront nécessaire de vanter le bon goût des hôtes qui les reçoivent dans leur sous-sol garni de meubles Thibault et lambrissé de bardeaux. Lors d'une réception, ils se tiendront volontairement aux côtés des plus ennuyeux pour leur prouver qu'ils les croient plus intéressants qu'ils ne le pensent eux-mêmes.

À la longue, ce mensonge devient, de tous, le plus exacerbant, car il finit par tourner en dérision le bon sens le plus élémentaire.

Ne vaudrait-il pas mieux, dans ce cas, se taire tout simplement — ou tout simplement se conformer au vieil adage qui affirme que toute vérité n'est pas bonne à dire?

Pour ma part, je crois que toute vérité est bonne à dire, mais qu'elle ne l'est pas en tout temps et en tout lieu. Ce n'est pas mentir que se taire devant quelque défaut d'un ami qui met constamment tous ses invités dans l'embarras — à quoi bon l'humilier davantage? Mais le moment viendra un jour où, seul à seul, on se fera un devoir de rappeler à ce bon ami, au nom même de l'amitié, qu'il aurait avantage à corriger cette attitude déplaisante.

Est-il nécessaire de rappeler à une femme éplorée que l'amant adoré dont elle pleure la perte la trompait de toute façon depuis des années? Est-ce mentir que de lui taire, pour un temps, cette vérité? Cette vérité qu'on pourra un jour lui révéler, quand elle se sera remis le cœur à l'endroit...

Pourquoi mentir quand le silence suffit souvent à éclairer la personne en cause en évitant de la brutaliser par des paroles qui, pour être vraies, n'en sont pas moins intempestives et cruelles?

Je pense maintenant à ceux qui se mentent à eux-mêmes et qui, finalement, sont bien les seuls à en souffrir. Je connais quelqu'un qui déclare à qui veut l'entendre qu'il gagne cent mille dollars par année. À force de se l'entendre dire, il finit par le croire. Il dépense donc «ses» cent mille dollars sans plus y penser. En vérité, il n'en gagne que quarante mille. Après impôts, il lui en reste tout au plus vingt-cinq mille, ce qui n'est pas rien. Mais quand — et comment — réussira-t-il à combler ce manque à gagner de ces soixante-quinze mille dollars dont il se croyait pourtant assuré?

C'est quand on est jeune qu'on a le plus tendance à se mentir à soi-même. La réalité nous importune. On s'accepte mal soi-même. On voudrait être quelqu'un d'autre. Alors, on se joue la comédie, on s'invente un personnage qui ne trompe personne d'autre que soi-même. On s'enfonce dans le mensonge sans savoir vraiment où il mène, et il faut parfois un choc brutal pour en sortir.

Or, quand la vérité éclate, on n'est pas toujours en mesure d'y faire face. Suit la dépression. La guérison, nous semble-t-il, exige dès lors un recours immédiat et draconien. Et le remède se trouve à portée de la main: on s'invente un nouveau personnage encore plus incroyable que le premier, on se convainc qu'il procède du plus grand naturel, et on repart à la conquête du monde armé de sa nouvelle carapace — vide.

Mais la vraie nature n'est jamais loin, qui lutte constamment contre cette imposture. Elle veut à tout prix faire éclater la vérité. Puis on vieillit. Puis on commence à se dire: «À quoi bon?» Puis on reçoit une couple de bonnes claques sur la gueule. Puis on finit par se dire qu'après tout on n'est pas si mal, en tout cas pas plus mal que certains. Puis tout rentre plus ou moins dans l'ordre: on se ment moins parce qu'on s'aime davantage. On ira même jusqu'à ne plus combattre ses propres vices tant ils semblent gratifiants. La vraie vie commence.

Mais même en vieillissant, il est une sorte de mensonge dont on a toutes les peines du monde à se départir: c'est le mensonge amoureux. Or, c'est le plus destructeur de tous, car il transforme l'objet même de l'amour en quelque autre matériau dont l'être aimé peut facilement se passer.

Je ne parle pas évidemment de ces mensonges amoureux, si multiples, qui font presque partie du jeu et qui excitent l'imagination autant que les sens. Non. Je parle de ce mensonge permanent qui vise à faire croire à l'être aimé qu'on est tout autre que ce qu'on est vraiment.

Ainsi, l'amoureux transi jouera l'esclave ou se complaira dans toutes les contraintes pour bien démontrer toute la profondeur de son amour. Il se ment, il s'embête, il se martyrise, mais il est parfaitement convaincu qu'il n'est pas d'autre moyen de consolider des amours qu'il croit trop fragiles. Il dit oui quand il a envie de dire non. Il fait semblant de jouir quand il ne ressent absolument rien. Il joue le riche quand il est au bord de la mendicité. Il essaie de donner du plaisir alors même qu'il n'en prend pas, en croyant prouver par là qu'il n'est pas égoïste.

On le croyait fier; il se montre servile. On le croyait insouciant; il se montre pointilleux. On le croyait plein d'imagination; il se fait routinier. On le croyait jaloux; il fait semblant de ne rien voir. On l'aimait pour sa corpulence; il se fait maigrir. On le voulait orgueilleux; il se fait modeste.

Tout simplement parce qu'il se croit insupportable et qu'il ne peut imaginer qu'on l'aimât tel qu'il est. Il est le premier surpris de découvrir un jour qu'on ne l'aime plus. Il a fait disparaître, sans s'en apercevoir, tout ce pourquoi on l'avait aimé en premier lieu. Il s'est transformé à tel point qu'il est devenu méconnaissable aux yeux mêmes de l'être aimé. Il n'a plus ni les qualités ni les défauts qui avaient tant séduit au premier abord. Il paie alors chèrement le prix de son mensonge. Il accuse l'autre d'infidélité mais il ne comprend pas que c'est justement par fidélité à la vérité première que l'autre se détache de ce personnage de comédie qui a perdu tous ses attraits.

Il faut se garder, quand on est aimé, de se transformer trop radicalement, de se mentir en somme avec trop d'enthousiasme. Il faut savoir qu'on est aimé pour ce qu'on est ou qu'on ne l'est pas du tout. Le mensonge, en cette sorte de chose, est mortel.

On pourrait sans peine allonger la liste des menteurs et leurs façons de pratiquer le mensonge. Mais à quoi bon? On est encore loin de la vérité quand on affirme que tout le monde ment.

Mais je ne voudrais pas terminer sans parler de ceux et de celles qui nous obligent, consciemment ou inconsciemment, à mentir. C'est encore dans les situations amoureuses qu'on les retrouve le plus souvent. Leur perfidie n'a d'égale que leur tyrannie, et il faut s'en garder comme de la peste.

Je n'en veux qu'un exemple: c'est celui de ceux et de celles qui, au lieu de se taire et d'attendre les aveux, n'ont toujours à la bouche que cette petite phrase: «M'aimes-tu?»

Comment dire non sans blesser? Comment dire oui sans mentir? Et même en mentant, saurai-je le faire avec assez de conviction pour être cru?

Le dilemme est insoluble.

Mais qu'on sache qu'il vaut mieux ne pas tenter de convaincre les gens honnêtes qu'ils sont des menteurs. Parce que si on les convainc...

Nous,
mars 1979

L'intimité ou la volupté du quotidien

L'intimité a ses exigences. Elle veut d'abord et avant tout qu'on soit bien dans sa peau et que l'esprit soit libéré de toute contrainte. Elle veut qu'on puisse se montrer tout nu, corps et âme, sans rougir.

Ce petit travers encombrant que j'essaie de cacher à tout le monde risque de prendre, dans l'intimité, des proportions considérables. Aussi bien l'assumer totalement puisque je ne saurai le masquer plus longtemps. Cet orteil un peu crochu qui faisait s'esclaffer les amis en ce temps d'adolescence où nous découvrions et comparions nos corps ne pourra plus échapper à l'attention de qui scrutera mon corps dans toutes ses articulations et ma peau dans tous ses replis.

Et comment ne pas faire étalage de cette vieille frustration que je traîne depuis des années puisque je trouve enfin l'occasion, peut-être, de m'en défaire? Et pourquoi ne dirais-je pas enfin tout net tout ce qui me trotte dans la tête d'inavouable?

L'intimité, de par sa nature même, nous force à aller très loin dans la connaissance de soi et des autres. Elle exige franchise et générosité. Elle exige curiosité.

Et avant de réussir à être intime avec quelqu'un d'autre, il faut d'abord arriver à l'être avec soi-même: se connaître d'un travers à l'autre, vivre avec soi-même en permanence, en évitant les fuites hors de son corps et de son esprit.

Qu'on soit intime avec les choses qui font le quotidien: pouvoir faire le tour de sa maison les yeux fermés parce qu'on sait de mémoire où on a posé l'objet précieux ou le fauteuil confortable ou le Proust qu'on s'apprête à relire. Tout ce qu'on a regardé et touché longuement, tout ce peuple d'objets apparemment inanimés qui se sont usés lentement autour de moi, qui se sont patinés sous les yeux trop souvent distraits des amis, des amants, des maîtresses.

Ce tableau devenu familier à force de vivre devant, autour, derrière, dedans. Cette orchidée dont j'ai fini par connaître le jour exact de la floraison annuelle. Cette vieille chemise qui ne tient plus que par un fil mais dans laquelle je me trouve si confortable. N'a-t-elle pas fini par s'animer un peu à force de m'entendre battre le cœur?

Et moi? N'ai-je pas enfin reconnu qui j'étais vraiment, profondément? N'ai-je pas enfin accepté d'être celui-là — et personne d'autre? Beaucoup moins que je l'aurais souhaité, beaucoup plus que je l'aurais imaginé. À la fois plus simple et plus complexe... mais tellement moins compliqué.

L'intimité, c'est la barrière qu'on met entre soi et les autres. C'est ce qui n'appartient à personne qu'à moi-même. C'est tout ce que j'ai de précieux ou de futile, trop précieux ou trop futile pour l'étaler à la face du monde.

On comprendra facilement dès lors la générosité qu'il faut pour décider soudain de partager son intimité avec quelqu'un d'autre. Et la curiosité qu'il faut pour avoir envie d'arracher à quelqu'un d'autre tous ses masques et découvrir, dans un éclairage cru, souvent cruel, une vérité qui jusqu'alors ne se dévoilait que pudiquement devant des regards qui ne faisaient, presque toujours, qu'en effleurer la surface.

L'intimité à deux, c'est la recherche infinie de la complémentarité des êtres.

L'intimité à deux c'est, plus que faire l'amour, prendre son bain ensemble. C'est se découvrir l'un l'autre, non pas dans le paroxysme de l'orgasme, toujours un peu trompeur, mais dans la simplicité du geste ordinaire, du mot qui n'essaie pas de convaincre ou de séduire, de la peau non exaltée par l'amour ou l'orage. C'est découvrir un pénis qu'on avait cru plus grand, un sein qu'on avait cru plus ferme.

L'intimité, c'est se reconnaître les yeux fermés parce qu'on a déjà fait l'expérience de se bien regarder et de se bien voir. C'est la complicité qui unit deux êtres au milieu d'une foule, certains qu'ils sont d'être les seuls à savoir ce qu'ils pensent et ressentent. C'est la frontière qu'ils érigent entre eux et le reste du monde. C'est le secret. C'est aussi la sécurité affective totale.

En effet, je ne crains plus qu'on découvre chez moi quelque malformation du corps ou quelque vice de l'esprit puisque cette étape a été franchie il y a longtemps. Je n'ai pas peur non plus de voir soudain apparaître le diable devant moi puisque j'ai déjà accepté de partager ma vie avec le diable.

Le sentiment qu'on a d'être intime avec quelqu'un ne fait pas partie de cette panoplie de sentiments qu'on appelle «grands». C'est un tout petit sentiment, quotidien, presque banal, et qui pourtant nous permet, plus que bien d'autres, d'aller plus loin et plus profondément.

Et ce n'est pas parce qu'il est petit qu'il se laisse facilement saisir. Je reprends le même exemple pour constater qu'il est souvent plus difficile de prendre son bain que de faire l'amour avec quelqu'un. Il faut beaucoup plus de simplicité et de générosité pour laver un dos que pour s'enfiler dans une brèche béante.

La simplicité n'est pas donnée à tout le monde. Certains ne se complaisent que dans le grandiose; le banal les déconcerte. Ils ne voient que pauvreté dans un quotidien où les richesses, pour ne s'épanouir qu'une à une et lentement, ne sont pas moins présentes.

L'intimité, c'est le droit au quotidien.

Il n'est pas besoin d'être amoureux pour partager son intimité avec quelqu'un. Mais, par contre, on peut être follement amoureux sans jamais arriver à être intime.

Je connais des gens qui ont passé leur vie ensemble et qui se connaissent encore aussi mal à la fin qu'au début. Ils se sont arrêtés un jour à la surface de l'être et ils en sont restés là. Ils habitent leur maison de la même façon. Ils entretiennent si peu de familiarité avec les objets, les bêtes ou les fleurs qui les entourent qu'on croirait entrer dans un grand magasin quand on entre chez eux.

Le quotidien, pour eux, n'est qu'un désert inhabité. Ils vivent dans l'attente du grand jour, de la grande passion qui les jettera hors d'eux-mêmes dans une extase où ils seront, sans le savoir, absents.

L'intimité, c'est être avec soi.

Comme on ne peut partager que ce qu'on possède...

L'intimité, c'est être avec soi dans l'autre. On ne peut donc pas être plus ou moins intime: on est intime ou on ne l'est pas.

L'intimité, c'est s'arrêter un moment pour entendre battre son cœur. C'est plus que vivre; c'est avoir conscience de vivre.

Nous,
juillet 1978

La vraie nature de l'ambition

«Son ambition l'a perdu.» C'est une petite phrase qu'on entend souvent. Pourtant, elle est presque toujours fausse. Ce n'est pas l'ambition qui perd son maître, c'est l'incompétence, ou la paresse, ou l'inconscience.

S'il est un sentiment qui répond bien au principe de Peter, c'est bien l'ambition. En effet, on est rarement assez compétent pour répondre à ses plus hautes ambitions. Ou alors, on est si paresseux que les espérances restent vaines. Tout cela recouvert d'une bonne dose d'inconscience: inconscience de ses propres possibilités, méconnaissance de soi; inconscience des difficultés inhérentes à l'objectif qu'on veut atteindre; inconscience du poids de la concurrence; inconscience aussi, et surtout, de la futilité de l'objectif.

C'est en vieillissant (un peu) qu'on prend conscience de la vanité de la plupart des entreprises. C'est en vieillissant (beaucoup) qu'on perd la plupart de ses ambitions, tout simplement parce qu'elles ne répondent plus à ce qu'on croit avoir découvert d'essentiel.

Je m'en voudrais de trop mépriser les ambitieux; j'aurais l'impression de renier une bonne partie de ma vie. J'ai eu, moi aussi, des ambitions de toutes sortes. Il m'en reste encore quelques-unes que j'entretiens comme on entretient des femmes en un sérail: esclaves dont on ne se sert à peu près jamais mais qui nous permettent d'éprouver, à les contempler, une sorte d'éternelle virilité.

Les illusions ont la vie dure. On nous a tellement appris qu'il fallait être ambitieux dans la vie qu'on arrive mal à vivre sans nourrir quelque illusion de pouvoir, sans rêver de quelques richesses bien matérielles, sans prévoir quelque amour sublime et apparemment impossible, sans souhaiter pratiquer tel ou tel art pour lequel on n'avait manifesté, jusque-là, aucun talent.

L'ambition ne perd pas son maître si elle l'incite simplement à se rendre jusqu'au bout de soi-même. Elle permettra même à ce «maître» de se découvrir des richesses insoupçonnées. Mais elle le perd à coup sûr si elle exige de lui qu'il aille *au-delà* de soi-même. Comme c'est presque toujours le cas, il ne serait nullement exagéré d'affirmer que la route de l'ambition est jonchée de cadavres.

De Gaulle avait l'ambition démesurée, mais le bonhomme avait la démesure de l'image qu'il projetait. Or, pour un homme de cette trempe, combien d'autres n'arrivent jamais à se grandir à la taille de l'image qu'ils se font d'eux-mêmes. Et ce ne sont sûrement pas les échecs répétés qui forcent l'ambitieux à un peu plus d'humilité. Bien au contraire, c'est dans l'échec que l'ambitieux triomphe. C'est alors — et alors seulement — qu'il peut prétendre qu'on ne l'a pas compris, qu'il est arrivé trop tôt, ou qu'il est trop grand pour être accepté. Promu au poste qu'il convoitait, il se serait très probablement cassé la gueule. Mais, écarté, il peut continuer de se convaincre qu'il est le plus beau, le plus fort, le plus compétent, le plus merveilleux des hommes.

Je serais même tenté de dire que l'ambitieux, pour le rester, doit échouer dans ses entreprises. C'est en effet l'homme qui réussit dans la poursuite de ses ambitions, qui risque de les perdre à tout jamais. S'il devient riche ou puissant et qu'il arrive à conserver richesse ou pouvoir, il en comprendra vite toute la futilité. Si par contre il n'arrive pas à les conserver, il comprendra ou bien qu'il n'était pas fait pour cela, ou bien qu'il n'avait pas la compétence pour atteindre des sommets qu'il ne doit d'avoir atteints qu'à divers concours de circonstances.

Dans les deux cas, il aura la tentation irrésistible de se «retirer dans ses terres» pour tenter de réussir sa vie au lieu de chercher vainement à réussir sa carrière.

Oui, j'en suis certain maintenant: c'est l'échec qui assure la pérennité des illusions. La réussite les tue à coup sûr, pour les remplacer par la sérénité — ce qui n'est pas un mince accomplissement.

Avez-vous déjà rencontré des gens sans ambition? Ne ressentez-vous pas, en leur présence, une sorte de malaise? N'avez-vous pas envie de les secouer un peu pour les faire sortir de leur «léthargie»? N'êtes-vous pas tenté de les accuser de manquer de volonté? Ne vous sentez-vous pas aussi un peu coupable devant ces êtres apparemment amorphes et qui semblent se rire de tous ceux qui courent désespérément après leur queue sans jamais pouvoir l'attraper?

On dit qu'ils sont sans ambition. Est-ce bien vrai? Leur ambition n'est-elle pas de vaincre l'ambition? À tout le moins, de la contraindre à plus de mesure? N'ont-ils pas tout simplement vérifé leur juste poids, pour ensuite décider de ne pas peser davantage — ne serait-ce que par la crainte qu'ils ont d'écraser les autres?

C'est peut-être cela qui nous agace chez ceux qu'on dit dépourvus d'ambition: cette espèce de satisfaction béate de n'être rien d'autre que ce qu'ils sont. Et cette façon qu'ils ont de refuser de courir quand tout le monde s'agite fébrilement à la ligne de départ. Et, surtout, ce sourire un peu complaisant qu'ils affichent à la ligne d'arrivée — car ils y sont avant ces coureurs fourbus et épuisés qui se disputent la victoire. C'est à eux, à eux qui n'ont pas couru et qui restent frais et dispos, qu'il reste assez de force pour tirer les marrons du feu en se moquant de la mine ahurie de ces forcenés qui s'aperçoivent, mais un peu tard, qu'ils ont tout perdu.

C'est la vanité qui pousse à l'ambition, et c'est la peur qui l'inhibe. Et c'est peut-être la peur qui pousse à la vanité. Un cercle vicieux explosif qui détruit les hommes avec une terrible efficacité.

La vanité est le moteur du monde. La peur en est le frein.

Celui qui n'a pas d'ambition ne connaît ni la peur ni la vanité. Ce sont là deux sentiments qui ne lui sont d'aucune utilité. Il n'a peur ni de vivre, ni de mourir. Et si la vanité lui est étrangère, c'est qu'il ne cherche en rien à se survivre.

Ni poussé aveuglément par l'ambition et la vanité, ni freiné brusquement dans ses entreprises par des peurs soudaines et presque toujours incontrôlables, il évite les heurts traumatisants qui jalonnent la vie de l'ambitieux.

Pourtant, il court le risque d'être médiocre, ce qui est bien la pire des calamités.

On peut tout dire contre les ambitieux sauf les accuser de n'avoir pas combattu leur propre médiocrité. Ils arrivent même à la vaincre parfois. Peut-on leur reprocher d'avoir au moins essayé?

On se prend à rêver d'un monde parfait où les hommes n'auraient d'ambition qu'à leur mesure. Mais cela ne se peut, car il est dans la nature même de l'ambition d'être démesurée. Et n'est-ce pas dans la démesure qu'on risque finalement de trouver les plus grandes satisfactions, voire le bonheur?

Le bonheur est un moment privilégié, une «exagération» de la vie quotidienne. Celui qui n'a pas d'ambition éprouve peut-être une sorte de bien-être tranquille, mais connaîtra-t-il jamais le bonheur? Ni bonheur ni malheur, sans doute, le bien-être se situant entre ces deux extrêmes.

Or, l'ambitieux n'est jamais *bien;* il passe d'un extrême à l'autre — terriblement malheureux et heureux jusqu'à l'extase.

Quelques instants de bonheur valent-ils qu'on leur sacrifie toute une vie de bien-être? À chacun sa réponse.

Je serais tenté de terminer en clamant bien haut: «Heureux les ambitieux.» Mais j'hésite. Car je sais trop que l'ambition des uns fait souvent le malheur des autres.

C'est donc en moraliste que je tirerai la conclusion. Une petite morale à deux sous qui ne casse rien et qui, comme toutes les morales, ne doit durer que ce que durent les roses... l'espace d'un matin: l'ambition perd rarement son maître, elle perd plus souvent les autres.

C'est bien dommage, car elle pourrait peut-être sauver le monde.

Nous,
octobre 1978

L'envie d'avoir envie

« On est jaloux de ce qu'on possède et envieux de ce que possèdent les autres.» (Quillet)

J'ai déjà dit, dans ces pages, tout le bien que je pensais de la jalousie: c'est l'amour qui, le plus souvent, la justifie.

Mais n'est-ce pas la haine qui alimente l'envie?

Les vrais envieux portent en eux-mêmes la cause de leur vice. Ils veulent tout et ils n'ont rien; mais ils ne font rien pour obtenir le tout. Ils sont plus paresseux qu'autre chose. Ils auraient le talent et les occasions ne manqueraient pas, mais ils préfèrent contempler le talent des autres en maugréant, et ils sont si occupés à compter les chances des autres qu'ils ne voient pas celles qui leur passent sous le nez.

Paresseux et impuissants! Ils ont envie d'avoir envie et ils envient ceux qui ont envie sans envier.

C'est parce qu'on ne cède pas à l'envie qu'on a de quelqu'un ou de quelque chose qu'on devient envieux.

L'envie se nourrit également d'avarice. On peut avoir la bouche pleine et vouloir se gaver davantage. Avarice et gourmandise! Mon bien me suffit amplement mais il me semble que je serais plus heureux si je pouvais y ajouter le bien de l'autre.

Les ambitieux sont, d'abord et avant tout, des envieux. Mais on leur pardonne facilement puisque le bien des autres ne leur sert que d'exemple: ils ne cherchent pas à se l'approprier, se contentant plutôt de chercher ailleurs l'objet de leur convoitise. Autrement dit, ils ne jouent pas dans les «talles» des autres.

Mais les vrais envieux, ceux chez qui ce penchant n'est pas combattu par quelque vertu ou par quelque autre vice — comme chez l'ambitieux ou le sage — ne font aucun cas de ce qu'ils pourraient acquérir s'ils s'en donnaient la peine; ce qui les intéresse par-dessus tout, c'est la «talle» des autres.

Ils ne veulent pas autant d'argent qu'en possède le voisin; ils veulent *cet* argent que possède le voisin. Ils ne veulent pas pouvoir faire montre de leur talent particulier; c'est le talent des autres qu'ils voudraient pouvoir afficher.

Ce qu'il y a d'agaçant chez les envieux, ce n'est donc pas tant qu'ils veuillent tout posséder mais bien qu'ils veuillent *déposséder* tout le monde.

Vous ne satisferez pas un envieux en lui donnant autant d'argent qu'il en veut. Il faut lui donner l'argent que vous avez.

C'est dans la dépossession des autres qu'il trouve son plaisir. Voilà ce qui explique son insatiabilité.

Devenu riche, il ne souffrira pas pour autant la richesse des autres. Ce qu'il veut, c'est être riche parmi les pauvres.

Habitant la plus belle des maisons, il ne se contentera pas de l'entretenir et de l'améliorer; ce n'est qu'entouré de ruines qu'il trouvera quelque bien-être en son château.

Si, par malheur pour les autres, il devient amoureux, il n'en tirera quelque jouissance que s'il peut contempler la détresse de ses amis. Pire, il provoquera lui-même cette détresse en tentant par tous les moyens de leur retirer l'objet de leur amour. Seuls comptent pour lui les amants ou les maîtresses des autres; les siens le laissent profondément indifférent.

Il trouve que tous ont de la chance sauf lui.

Il pense que tous sont nés riches et talentueux sauf lui.

Il croit qu'il n'y a de justice en ce monde que pour les autres, jamais pour lui.

Il se veut roi du monde mais, pour y parvenir, il ne trouvera jamais meilleur moyen que de se faire régicide.

Il se voit dans la peau de Picasso, de Rubinstein ou d'Elizabeth Taylor, mais c'est justement à leur peau qu'il en a; la sienne l'encombre.

Il se verrait assez bien dans le personnage de Crésus mais à la condition que Rockefeller et Rotschild se fassent communistes.

À la limite, il finit par s'envier lui-même.

Car comment être vraiment envieux quand on possède déjà plus que les autres? Il voudra donc se voir dépossédé pour pouvoir enfourcher de nouveau son manège infernal.

Quel emmerdeur que cet envieux!

Au fond, c'est un voleur. Comme il ne veut ni travailler ni vendre son cul, il ne lui reste que le vol. Sa façon à lui de gagner sa vie, c'est de s'en construire une à même celle des autres.

Voleur et parasite. Il se nourrit des autres jusqu'à les étouffer.

Si encore il se contentait de voler et de parasiter les riches et les puissants. Mais non. Si Paul Newman lui résiste, il s'attaquera à Michel Louvain. S'il ne peut être Jean-Paul Sartre, il sera Claude Jasmin. Et s'il ne peut entrer dans la peau de René Lévesque, il se contentera de porter le masque de Louis-Philippe Lacroix.

Incapable de séduire, il sautera sur l'objet déjà séduit, en s'imaginant que la séduction est transférable.

Incapable de chanter comme Pavarotti, il tentera de donner le change en ouvrant au bon moment une bouche muette devant un haut-parleur tonitruant.

Incapable de faire pousser une fleur, il arrachera celles du voisin pour s'en faire des bouquets bientôt fanés.

Incapable de s'aimer soi-même, il se contentera de n'aimer chez les autres que les apparences.

Et c'est là ce qui fait son plus grand malheur; car finalement, il ne possédera que la surface des êtres et des choses.

En effet, «les autres» se méfient de l'envieux dont ils se débarrassent facilement en ne lui montrant que la partie la moins enviable de leur être. Ils lui refilent leurs vices, leur bêtise, leurs chèques sans provisions, leurs vieux habits.

L'envieux se retrouve les mains vides. Il ne démord pas pour autant. Il continue de croire qu'il s'approprie le monde en embrassant du vent et il se croit vêtu quand il enfile les vieilles chaussettes trouées de Giscard d'Estaing.

Il ne comprendra jamais que l'usurpateur, pour être roi, n'en est pas moins nu.

Nous,
mai 1979

Eh bien, chante, maintenant!

À moins d'équilibre parfait, il y a toujours, en amour, un rapport dominant/dominé. L'équilibre parfait étant la chose la plus rare qui soit, il arrive donc que, dans la majorité des cas, c'est le drap de dessus qui pèse sur le drap de dessous et, des deux partenaires, c'est toujours celui qui aime le plus qui se retrouve en dessous.

Celui qui aime peu est fort. Celui qui aime beaucoup est faible. Et celui qui aime trop est impuissant.

Or, on sait depuis toujours que le faible et l'impuissant résistent mal à qui les fait chanter, et que le chantage à l'amour est le plus irrésistible de tous, celui contre lequel on se défend le plus mal, terreur de l'amoureux transi, poison violent entre les mains de qui sait s'en servir.

Pourquoi dit-on «faire chanter quelqu'un»? C'est sans doute que la victime a toujours tendance à chanter sous le supplice pour mieux entretenir l'illusion d'une force à jamais perdue, remplacée par une peur incontrôlable, semblable à celle qui fait chanter très haut quiconque s'engage dans un lieu inconnu et effrayant. «Tu peux toujours chanter, pauvre imbécile, je sais bien que je te tiens à la gorge et je ne suis pas dupe de ton ramage.» C'est sans doute ainsi que le maître chanteur entend la chanson de cette bonne poire qu'il mène à l'échafaud.

Le chantage, dans le langage amoureux, peut prendre toutes les formes, de la plus subtile à la plus grossière.

Par exemple:

Grossière: «Bon, j'en ai assez, je m'en vais.» Cette formule a la qualité d'être claire. C'est le tout ou rien appliqué de façon magistrale. Encore ne peut-elle être utilisée avec efficacité qu'accompagnée de la ferme intention de partir. Il est évident que si le maître chanteur s'en sert pour la quarantième fois sans jamais avoir mis sa menace à exécution, il ne peut que rater sa sortie. En revanche, s'il part pour de bon, il brûle ses dernières cartouches et se place en position de faiblesse vis-à-vis l'autre si jamais l'envie lui prend de revenir. De toutes les formes de chantage, c'est celle qui risque le plus de se retourner contre son utilisateur.

Vache: «Tu dis que je ne donne rien en retour. Mais en retour de quoi? Je ne t'ai jamais rien demandé, moi!» Très efficace. La victime est obligée de se rendre à l'évidence: puisqu'il n'a jamais rien demandé, comment lui reprocher d'avoir tout accepté sans rien dire? Le maître chanteur aurait envie d'ajouter: «Je ne peux pas t'empêcher de m'aimer et je suis assez généreux pour t'en donner la chance sans trop rechigner.» S'il ne le dit pas, c'est qu'il sait la victime piégée; il n'a pas besoin d'en remettre. Généreux, il est même prêt à accepter le petit cadeau que lui offre la victime confuse en gage de réconciliation, non sans avoir fait remarquer encore une fois «qu'il n'a rien demandé».

Perfide: «Si je ne te vois pas plus souvent, c'est que je veux te permettre de te reposer de moi. Tu ne m'en aimeras que davantage.» Bien sûr, le mensonge est flagrant. Mais la victime en a déjà tant avalé qu'elle n'y voit que du feu. Elle aura beau se récrier et jurer que la présence de l'autre lui est agréable vingt-quatre heures par jour, elle se sent déjà coupable d'avoir été, à l'occasion, impatiente, d'avoir manifesté, ne serait-ce qu'une seconde, quelque mouvement d'humeur, de ne pas avoir assez aimé, ou pas assez bien. «C'est ma faute si je ne sais pas le retenir auprès de moi. Au fond, il a bien raison, je suis vraiment insupportable.» Elle ne sait pas, cette pauvre imbécile, que le maître chanteur méprise les victimes dont il jalonne sa route. Il ne peut pas s'en passer, son tempérament l'exige, mais il ne saurait les aimer.

Méchante: «Si tu m'aimes vraiment, tu souhaites me voir heureux. Or, j'ai besoin de toute ma liberté pour être heureux. Donc...» Cette formule vise, encore une fois, à culpabiliser la victime en lui montrant à quel point son amour est déficient. Comment pourrait-elle être assez méchante pour souhaiter le malheur de son héros? Ce n'est pas sa faute, à lui, s'il est fait comme ça. Quand on aime vraiment, on accepte l'autre tel qu'il est, non? La victime est, dès lors, comme ensorcelée. «C'est vrai que je suis égoïste. Je ne suis rien et je voudrais qu'il se contente de moi? Je devrais plutôt mesurer ma chance de le voir accepter de partager avec moi cet infime morceau de lui-même. Mon amour manque de générosité. Garde ta liberté, mon amour, et sois sans inquiétude, je t'attendrai.»

Magnanime: «Moi, je suis prêt à passer ma vie avec toi, mais je crains que tu ne puisses en faire autant. Alors, je préfère ne pas m'attacher pour ne pas trop souffrir quand tu me laisseras.» Ici, c'est le maître chanteur qui fait semblant de tout donner en accusant la victime de ne pas l'aimer suffisamment. Il a tellement souffert, le pauvre, dans le passé, qu'il n'en pourrait pas tolérer davantage! Il aime tellement que ce sentiment l'effraie lui-même. Alors, il préfère garder ses distances tant que la victime n'aura pas fait preuve, envers lui, de plus d'amour. Cette belle hypocrisie le sert doublement: elle lui permet de donner moins en exigeant davantage.

Franche: «Ne t'attache pas trop parce que moi, tu sais...» Cette formule est le contraire de la précédente. Elle a toutes les apparences de l'honnêteté et de la franchise. Mais le maître chanteur a l'habilité de ne l'employer que lorsqu'il est certain que le poisson est ferré, que la victime est à sa merci. Il joue la franchise pour mieux masquer la vérité. La vérité c'est qu'il se sert de l'autre mais qu'il ne pourrait supporter que l'autre se servît de lui. Il fait semblant de ménager une porte de sortie à la victime mais, ce faisant, c'est lui qui assure ses arrières. Que fait la pauvre victime? Hélas! elle est cuite! Enfin convaincue d'avoir déniché l'oiseau rare, celui en qui elle peut avoir confiance, elle tombe tête première dans le piège. Comment ne pas s'attacher à un être si franc, si ouvert? Et comme la cigale, elle chante,...

Subtile: «La fidélité, c'est plus une affaire de tête qu'une affaire de fesses. Ce n'est pas parce que je couche avec d'autres que je te trompe.» Le raisonnement a l'air juste. Le maître chanteur affirme péremptoirement qu'il n'a d'amour que pour la victime et que tout le reste n'est que baliverne à quoi il ne faut attacher aucune importance. Si la victime a l'outrecuidance d'affirmer qu'elle se contente, elle, d'un seul partenaire, on aura tôt fait de lui faire comprendre que c'est parce que ce partenaire la satisfait en tous points. Que la victime se le tienne pour dit: c'est sa faute si elle n'est pas à la hauteur de la situation!

Je pourrais prolonger à l'infini la liste de ces exemples. Que dire de celui qui part sans rien dire et qui revient à l'improviste? Comment ne pas parler de celui qui accuse l'autre de souffrir d'un instinct de propriété démesuré? Que penser de la jalousie, dont se servent aussi bien le maître chanteur que la victime? Et le chantage au suicide, alors? Il ne faudrait surtout pas oublier le chantage de qui joue à la victime.

Il y en a pour tous les goûts et pour toutes les circonstances. Les hommes l'emploient aussi bien que les femmes. Et s'il est l'arme préférée de celui des deux qui aime le moins, l'amoureux fou pourra également s'en servir si l'autre a quelque intérêt à protéger.

On se dit qu'il est facile de résister au chantage. Il suffit, dans les circonstances, d'adopter une attitude ferme et de ne pas se complaire dans l'illusion.

Cela est vrai. Mais c'est oublier que dans ce cas le maître chanteur, par instinct, n'attaque pas. Il sait où et comment choisir ses victimes. Comme c'est un faible, il lui faut des proies qui, du moins en apparence, sont encore plus faibles que lui. Il n'a que faire d'un vis-à-vis qui lui dirait: «Tu veux te suicider, eh bien fais-le, je m'en fous.» Ce n'est pas le genre à se battre sur ce terrain-là.

Il existe pourtant une façon de se défendre contre le maître chanteur, et elle consiste à adopter la position suivante: «Il me fait chanter, soit! je n'y peux rien soit! Acceptons les choses comme elles sont. Puisque je suis faible et masochiste, aussi bien en tirer du plaisir. Transformons cette faiblesse en égoïsme. Puisque je jouis sous la torture, que ma jouissance soit la plus grande possible.»

Cette attitude — cette prise de conscience — ne changera pas le maître chanteur en amoureux transi, mais la victime prendra plus de plaisir au supplice. Et, qui sait? un jour le maître chanteur, s'apercevant de la joie qu'il procure à sa victime, préférera peut-être s'abstenir... pour la punir!

Nous,
décembre 1978

L'amitié, c'est pas l'amour, mais...

On peut souvent dire de certaines âmes qu'elles ont la conformation propre à l'amitié, comme certains corps ont la conformation propre à la nage ou à la course. On ne peut en effet exclure de la pratique de l'amitié les dispositions naturelles: il faut avoir envie de «faire l'amitié» comme on a envie de faire l'amour, sans quoi l'exercice dégénère en vulgaire parade et personne n'y trouve son compte.

On ne peut pas plus forcer l'amitié qu'on peut forcer l'amour, et tel qui s'y emploie se verra si tôt qualifier d'importun qu'il aura mieux fait d'aller porter ailleurs ses assiduités.

On sait fort bien à quoi sert l'amour, mais n'est-il pas beaucoup plus difficile de déterminer à quoi sert l'amitié? On n'a rien dit de celle-ci quand on a constaté qu'elle servait parfois de remède à la solitude ou qu'elle répondait à un besoin inné de communication; n'importe qui peut servir à cela et les amis, me semble-t-il, doivent avoir des fonctions plus essentielles.

À quoi sert donc l'amitié? Ou ne devrait-on pas dire *les* amitiés, puisqu'elles sont aussi diverses que les amours? Après en avoir connu de toutes les sortes, des tranquilles et des orageuses, des distantes et des amoureuses, des solides et des fragiles, j'en viens à la conclusion que les amitiés ont comme fonction principale d'assurer la sécurité émotive des êtres.

L'amitié est la police d'assurance de l'âme. Un grand ami, c'est celui en présence de qui je sens que rien de fâcheux ne peut m'arriver. Si je pleure, il me consolera; si on m'attaque, il me défendra; si je m'apprête à faire des bêtises, il me corrigera; si j'ai faim, il me nourrira; si j'ai peur, il me réconfortera; si je suis heureux, il partagera mon bonheur; si j'entretiens quelque complaisance envers moi-même, il me mettra en garde; si j'ai quelque faiblesse, il me soutiendra.

Bien sûr, l'ami ne peut pas tout faire à la fois et il lui arrivera de n'être pas là au moment où j'en ai le plus besoin, mais le seul fait de savoir qu'il existe, quelque part, suffira le plus souvent à me remettre l'âme en état de fonctionner.

L'amitié est exigeante. Elle exige même qu'on y consacre beaucoup de temps. C'est sans doute pourquoi on ne peut pas avoir beaucoup de grands amis. Où trouverait-on le temps de s'occuper également de chacun d'entre eux?

L'amitié est aussi jalouse, comme l'amour. L'ami me néglige-t-il pour s'occuper plus exclusivement d'un autre que j'entretiens aussitôt envers lui quelque rivalité. Je veux bien partager, mais je veux avoir toute ma part.

L'amour doit beaucoup à l'amitié. C'est l'ami qui sans doute recevra les confidences des deux partenaires et qui saura se faire discret ou indiscret selon «les besoins de la cause». C'est encore sur l'ami qu'on doit pouvoir compter quand les amoureux veulent éviter de se tromper.

C'est chez l'ami que l'amant devrait pouvoir trouver la sécurité du cœur; c'est là qu'il devrait pouvoir sentir que l'être aimé ne sera pas sujet à toutes les attaques et à toutes les surenchères.

Si j'emploie ici le conditionnel c'est que, malheureusement, c'est aussi en cette matière que l'amitié connaît les pires rigueurs. Elle sait se faire raisonneuse quand le cul la commande; elle se comporte alors comme le plus dévoyé des sentiments.

L'amour doit encore à l'amitié de le prolonger jusqu'à l'infini. L'amitié est la mémoire de l'amour. Existe-t-il de sentiment plus doux que l'amitié qui, par-delà les ans, rappelle aux amants les merveilleux moments qu'ils ont passés ensemble?

«Je serai ton ami quand je ne t'aimerai plus.» Je me surprends à répéter aujourd'hui cette phrase que j'ai déjà dite quelques fois dans ma vie. J'ai toujours compris qu'il fallait que l'amour meure pour que l'amitié naisse.

Ce sont en effet deux mouvements parallèles du cœur qui ne risquent pas de se rejoindre. Il peut sans doute exister des amours amicales et des amitiés amoureuses, mais elles ne sont souvent que le point de transition qui mène à l'amour ou à l'amitié dans toute son exclusivité.

Et pourtant, n'est-ce pas justement en ce point de transition que se trouve le plus bel équilibre?

Si j'avais le choix — et si je n'étais pas si sot, parfois — je n'entretiendrais que des amitiés amoureuses. Parfois ami, parfois amant, jamais tout l'un ou tout l'autre. Plus d'affection que d'amour et moins de passion que de tendresse!

Mais, hélas! l'amour a des raisons que l'amitié ne connaît pas. Et le plus petit amour est tellement plus fort que la plus grande amitié! On est prêt à sacrifier tous ses amis pour vivre l'aventure amoureuse la plus banale, mais le contraire est loin d'être vrai. L'amitié, malgré toutes ses vertus, ne fait pas le poids.

Et pourtant, c'est en elle que se réfugient les amoureux déçus et c'est encore elle qui sert de garde-fou aux trop brusques mouvements du cœur. Si l'amour se veut panacée de l'amitié, dans son ombre elle se contente plus simplement d'entretenir la santé sans prétendre au miracle.

Mais on en demande souvent beaucoup trop à l'amitié. Ce n'est pas une bonne à tout faire. On voudrait qu'elle tienne le rôle de l'amour quand celui-ci se fait trop attendre. On voudrait qu'elle se fasse compagnie de finance quand l'argent tarde à entrer. On voudrait qu'elle se transforme en fier-à-bras quand on a quelque vengeance à exercer. On voudrait qu'elle se fasse omniprésente quand on a le vague à l'âme, mais qu'elle se confonde dans le paysage quand on a d'autres chats à fouetter. On voudrait même la voir se transformer en entremetteuse quand on est trop paresseux pour courir son propre gibier.

De nature généreuse, elle se pliera pendant un certain temps à tous les caprices mais, devant des exigences aussi peu raisonnables, elle finira bien par casser.

Et attention! Les vrais amis sont rares, dit-on couramment. Et pourquoi ne le seraient-ils pas? C'est leur extrême rareté qui les rend si précieux. Et ne sont-ils si rares que parce que nous ne les méritons pas toujours?

J'ai souvent dit qu'il ne suffisait pas d'aimer mais qu'il fallait aussi savoir comment. Il n'en va pas autrement en amitié. Il ne suffit pas de se faire des amis; il faut savoir entretenir l'amitié.

Certains ont pour ce faire un talent si naturel qu'il en devient indiscutable; ce sont les plus grands des amis. On dirait qu'ils sont nés pour l'amitié — comme d'autres sont nés pour l'amour. Ils savent tout sans jamais rien avoir appris, comme le disait Molière.

Ces amis-là sont encore plus rares que les autres; et j'ai le privilège d'en avoir un.

Un jour que je discutais de lui avec une copine, nous nous sommes demandé ce qu'il pourrait bien faire de sa vie. Nous lui trouvions tous les talents et toutes les ambitions mais sans arriver à mettre le doigt sur l'essentiel. Puis, après avoir parlé de l'amitié que nous lui portions l'un et l'autre, nous découvrîmes sans chercher plus loin la «vocation» de Jean. Il avait la vocation de l'amitié. Ne ferait-il rien d'autre dans la vie que d'être le plus grand des amis, et le monde en serait comblé.

Jean, c'est l'ami avec un grand A.

Et si j'avais eu l'intelligence de vous parler de lui au lieu de philosopher sur l'amitié, vous auriez sans doute beaucoup mieux perçu ce que représente pour moi ce sentiment.

Car, je dois l'avouer, il me reste encore aujourd'hui plus ou moins explicable. Si vous connaissiez Jean, vous n'auriez pas besoin d'explications.

Nous,
septembre 1977

Méfie-toi... j'ai confiance en toi!

C'est souvent parce qu'on se connaît trop bien soi-même qu'on se refuse à faire confiance aux autres. On se connaît mais on préfère se taire la vérité en faisant porter tout l'odieux sur les autres. On est menteur, malhonnête, infidèle ou voleur; mais, pour ne pas se faire trop de mal à soi-même, on crée les autres à son image et à sa ressemblance: on les fait menteurs, malhonnêtes, infidèles et voleurs. C'est ainsi que les plus méfiants sont souvent ceux dont on doit le plus se méfier: ils exigeront des garanties qu'ils ne sauraient fournir, ils voudront des serments qu'ils ne pourraient jamais prêter, et ils s'attendront à ce qu'on joue franc jeu au moment même où ils se défilent.

La confiance est un sentiment absolu. On a ou on n'a pas confiance en quelqu'un. Si on dit parfois: «J'ai *plus ou moins* confiance en telle ou telle personne», il ne s'agit là que d'un euphémisme visant à épargner un ami cher dont on se défie totalement dans telle ou telle circonstance, ou d'une litote diplomatique visant à protéger ses arrières au cas où... Mais on sait trop bien que lorsque le double envahit l'esprit, il le conquiert entièrement.

Il y a trois catégories de *confiants*: les philanthropes, qui croient aux vertus du genre humain et qui, à l'instar de Jean-Jacques, pensent que l'homme naît bon; les purs, qui imaginent facilement que tous les autres leur ressemblent et qui ne sauraient imaginer qu'on les trompât puisqu'ils n'ont jamais, de toute leur vie, trompé personne; les inconscients, qui font confiance plus par bêtise que par générosité et qui, finalement, se voient trompés plus souvent par eux-mêmes que par les autres.

Les méfiants sont de divers ordres dont je ne saurais évaluer le nombre. En voici quelques exemples: il y a bien sûr ceux que j'ai décrits au début, ceux qui ne voient chez les autres que le reflet de leurs propres vices. Puis il y a les misanthropes qui s'entendent généralement mieux avec les bêtes qu'avec les êtres humains dont ils n'attendent absolument rien; certes, ils ne font confiance à personne mais, conséquents avec eux-mêmes, ils n'exigent pas qu'on leur fasse confiance puisqu'ils se méprisent tout autant qu'ils méprisent les autres.

Puis il y a les malheureux qui, pour avoir été trop cruellement meurtris, n'ont jamais réussi à s'en remettre. La malheureuse expérience qu'ils ont vécue leur a fait si mal que la blessure ne s'est jamais cicatrisée. Chez eux, la méfiance est vécue comme une maladie incurable dont on ne sera délivré que par la mort... et encore! (Comment faire confiance à un Dieu témoin de tant d'injustice et pourtant immobile?)

Il y a les sceptiques. Ce n'est pas qu'ils ne font pas confiance, mais ils ont le doute si chevillé à l'âme qu'ils ont peine à imaginer que la vertu ait plus de mérite que le vice. Ils s'accommodent aussi bien de la tromperie que de l'honnêteté et, s'ils se défient, c'est plus par paresse que par conviction.

Les calculateurs, pour leur part, font profession de se méfier de tout et de rien. Ils croient que les affaires (y compris celles du cœur) ne peuvent se traiter que fort minutieusement, et aucun détail du «contrat» n'échappe à leurs soupçons. Quoi qu'ils marchandent, ils ont toujours l'impression que ce qu'on leur offre est «trop beau pour être vrai», ils voient anguille sous toutes roches et, comme le geste gratuit leur est tout à fait étranger, la générosité est un sentiment dont ils s'effraient facilement.

Ceux qui manquent de confiance en eux-mêmes ont également tendance à ne faire confiance à personne. Se croyant incompétents en toutes choses, vaniteux malgré tout, ils imaginent facilement qu'on est, en général, moins compétent qu'ils le sont. Débusquent-ils chez quelqu'un quelque compétence universellement reconnue qu'ils s'empressent d'écarter cet individu qui pourrait leur porter ombrage.

Arrêtons-nous là pour le moment puisque nous n'avons ni l'intention ni le moyen de corriger les uns ou les autres. Prenons-les comme ils sont puisque nous n'avons d'autre choix que de partager avec eux notre vie.

Contentons-nous de faire quelques observations sur des attitudes qui, pour être souvent inconscientes, ne sont pas moins sujettes à l'analyse.

Il faut d'abord savoir que la confiance n'inspire pas nécessairement la confiance, et que le calcul, s'il embête les uns, rassure les autres.

Certaines gens se défient de quiconque leur voue une confiance aveugle. Ils s'en défient parce qu'ils se sentent dès lors obligés, forcés de «livrer la marchandise». Puisqu'on me fait confiance, se disent-ils, je dois en tout temps être à la hauteur de la situation et de pareille marque d'estime. Le pourrai-je toujours? Le voudrai-je toujours? Ils perçoivent cette confiance qu'on leur accorde comme une agression. Ils n'ont pas envie de vivre constamment à de telles altitudes; ils veulent garder le droit et la liberté de faillir, de tout laisser tomber, de tromper un peu, ne serait-ce que pour ne pas se sentir possédés.

Il y a, en effet, dans la confiance aveugle qu'on voue à quelqu'un, une sorte de désir inconscient de domination qui force l'autre à se soumettre à chacun de ses désirs. «Il ne peut pas tromper ma confiance, donc il fera tout ce que je lui demande.» C'est sans doute contre cette tyrannie de la confiance qu'on se défend quand on refuse de tomber dans ce piège, pourtant si séduisant, et cela au grand étonnement de celui dont la confiance se voulait hommage.

D'où l'on s'aperçoit que les sentiments humains sont beaucoup plus complexes qu'on ne croit et que la confiance n'est pas toujours cet élan généreux du cœur qu'on se plaît d'imaginer.

D'où l'on voit également que la confiance, pour être absolue, doit se garder pourtant d'être tyrannique. Elle peut facilement pourrir ce qu'elle croyait conserver. À la limite, elle peut se changer en geste démagogique: en effet, c'est flatterie que de faire trop confiance à quelqu'un qui n'en mérite pas tant.

Le mouvement de confiance, pour être vrai, doit garder quelque équilibre avec son objet sans quoi il le dénature et le rend incapable d'y répondre adéquatement.

Cela dit, quoi de plus agréable à voir que deux êtres qui se font parfaitement confiance sans exiger davantage que chacun puisse donner. Ni tyrannique ni flatteur, ce mouvement du cœur prend alors sa vraie dimension, celle de la générosité.

Comment expliquer par ailleurs que certains ne fassent confiance qu'aux plus méfiants, aux plus calculateurs? Je pense que cela est relativement simple: on aime bien s'asseoir sur du solide et, plus souvent qu'autrement, l'apparence du solide nous suffit. Ainsi, je ferai plus confiance à quelqu'un qui lit longuement tous les petits caractères d'un contrat que je lui offre qu'à celui qui, «mis en confiance», est prêt à signer n'importe quoi. Je penserai qu'il est digne de confiance celui qui prend ses précautions pour s'assurer que je ne le trompe pas, alors que je me méfierai de ce tempérament brouillon qui ne cherche pas à vérifier ma crédibilité.

Encore là, tout est question d'équilibre, car qui calcule trop versera bientôt dans la mesquinerie et se fermera définitivement aux générosités les plus gratuites.

Sachons enfin que la confiance qu'on a en les autres est toujours directement proportionnelle à la confiance qu'on a en soi. Tout part de là et tout y revient.

Or, la confiance qu'on peut avoir en soi-même n'est pas innée; elle s'acquiert au fil des réussites. On se croira capable d'amour quand on aura réussi à aimer. On se croira capable de créativité quand on aura réussi à créer. On se croira capable de gratuité quand on aura réussi à donner sans rien attendre en retour. On se croira capable de bonheur quand on aura réussi à être heureux, ne fût-ce qu'un instant. On se croira capable de vivre quand on aura réussi à se trouver bien dans sa peau juste assez longtemps pour en prendre conscience.

C'est lorsqu'on a reconnu que tout cela est possible chez soi qu'on peut imaginer que cela soit aussi probable chez les autres. L'échec nous enfonce dans la vanité car on aime à croire que la réussite des autres est impossible là où l'on a soi-même échoué.

C'est la réussite qui permet de mesurer le degré véritable de ses compétences et de ses mérites. La confiance en soi est faite d'humilité. C'est parce que ce paradoxe est mal compris de la plupart des gens que les relations de confiance sont si difficiles.

Je serais donc tenté de conclure qu'il ne faut faire confiance qu'aux gens qui ont vraiment réussi quelque chose, n'importe quoi. Ce sont les seuls qui vous sauront capable de réussir, donc qui vous sauront digne de confiance.

J'ajouterais que la confiance n'est digne de ce nom que quand elle n'exige rien d'autre et rien de plus qu'on peut donner. «La plus belle fille du monde...»

Nous,
janvier 1979

Quel beau sentiment que la jalousie!

Ne sont jamais jaloux que ceux qui sont incapables d'aimer!

Et ces non-jaloux, plus volages qu'ils ne l'admettront jamais, ne cessent de harceler les jaloux et de les culpabiliser en les accusant d'être trop possessifs et envahissants.

De leur côté, les jaloux, qui ne sauraient nier qu'ils sont un peu beaucoup masochistes, se laissent trop souvent réduire à une position défensive où les sentiments de l'angoisse le disputent à ceux de l'humiliation.

Pourtant, la jalousie est un fort beau sentiment qui honore celui qui l'éprouve jusque dans ses tripes — et qui condamne sans appel celui qui la provoque.

Moi, je suis jaloux en amour, et je n'ai nullement l'intention de m'en excuser. Bien au contraire. Qu'ils me jettent la première pierre tous ceux qui, ayant aimé, oseront se défendre d'avoir réussi à le faire sans jamais connaître les poussées d'adrénaline qui surgissent chez l'amant frémissant en l'absence de l'être aimé.

Vous l'avez deviné: c'est à une apologie de la jalousie que j'ai la ferme intention de me livrer devant vous.

Il est, bien sûr, des jalousies indéfendables; ce sont celles qui relèvent plus de la pathologie que du sentiment amoureux, de même que celles des avaricieux qui voudraient se constituer des réserves d'amour pour les enfouir au fond de leur mesquine garde-robe sentimentale. Ces jalousies-là sont mortelles, aussi bien pour ceux qui les éprouvent que pour ceux qui les subissent.

Mais il est des jalousies qui se défendent d'elles-mêmes tant elles sont justifiées par le comportement aberrant et, avouons-le, souvent malhonnête de l'être aimé.

Ma jalousie à moi est de celles-là; belle, soudaine, violente, racée, troublante! J'allais ajouter: méritoire...

Et je crois n'être jaloux que lorsqu'on me donne toutes les raisons de l'être. Je ne fais pas de promesses que je ne sache tenir et j'entends bien qu'on agisse de même à mon endroit. Quand j'aime, j'aime et je n'aime pas à côté ou ailleurs. Mais si on prétend m'aimer et qu'on trouve sans cesse plus de grâce et de charme à chaque passant qui a l'audace d'un sourire, alors là, je vois rouge.

Je n'exige pas qu'on m'aime mais si on le prétend, j'exige qu'on ait la décence de respecter ses intentions. Sinon, gare à la crise de jalousie!

«Tu es trop possessif, tu veux m'avoir à toi tout seul.» Voilà ce que tous les jaloux du monde entendent à longueur de journée. Et l'ai-je entendue, cette petite phrase qui chaque fois me poussait à me défendre de l'être, jusqu'au jour où j'ai eu le courage et la lucidité d'admettre que-c'était-vrai-et-puis-après!

Oui, je suis possessif. Mais j'accepte en retour d'être possédé complètement. Ce sont là mes règles du jeu. Si on n'a pas envie de les accepter, eh bien! qu'on aille se faire voir ailleurs. Je ne demande rien ou je demande tout. En ce dernier cas, je donne tout. Il me faut pourtant avouer, à ma courte honte, qu'il m'est trop souvent arrivé de tout donner sans rien recevoir en retour.

C'est l'absence de réciprocité qui provoque chez moi la jalousie. C'est facile de n'être pas jaloux quand on n'aime pas. Et si on se partage avec le monde entier, pourquoi l'être aimé n'en pourrait-il faire autant? Mais si on a décidé d'aller plus loin avec quelqu'un plutôt que nulle part avec plusieurs ça ne peut se faire qu'à deux. La réciprocité est donc essentielle.

C'est si vrai que les soi-disant non-jaloux ont envers l'être aimé les mêmes exigences que les jaloux. Votre jalousie les embête parce qu'elle les prive de ce qu'ils appellent leur liberté: mais qu'ils vous prennent au lit avec quelque autre partenaire après une semaine d'absence non justifiée et non justifiable et vous verrez de quel courroux ils sont capables. «Quoi! Tu as osé me faire *à moi* ce que je te fais depuis toujours?» Ce n'est pas ce qu'ils disent, bien sûr; ils sont évidemment blancs comme neige. Mais vous avez parfaitement le droit d'imaginer que c'est cette pensée qui devrait leur traverser l'esprit s'il leur restait encore un soupçon d'honnêteté.

Les non-jaloux n'aiment pas mais ils ne sont pas moins possessifs que les jaloux. Mais ils ont ceci de différent qu'ils veulent vous posséder sans aucunement se déposséder eux-mêmes.

À vrai dire, ils sont encore plus possessifs que les jaloux. Alors que les jaloux se contentent de ne posséder qu'une seule personne tout en acceptant d'en payer le prix, les non-jaloux veulent en posséder des douzaines sans rien devoir à quiconque.

Ce que je reproche à la plupart des non-jaloux, c'est de manquer de l'honnêteté la plus élémentaire. S'ils avaient au moins la franchise de dire: «Je ne t'aime pas et je ne t'aimerai jamais. Prends-moi quand je passe si le cœur t'en dit, mais ne me demande rien de plus. Si tu m'en demandes plus, je ne repasserai plus, tout simplement.»

Mais ce n'est pas ce qu'ils disent. Parce qu'ils veulent être sûrs de vous revoir à la même place et dans le même état amoureux, quand ils trouveront le temps de venir vous rendre visite, ils n'hésitent pas à vous déclarer des amours éternelles qui ont d'autant plus de chances de durer effectivement jusqu'à la fin du monde qu'elles ne se partagent que quelques heures par semaine ou par mois. La longévité de leurs amours est inversement proportionnelle au temps qu'ils y consacrent.

Et c'est ici qu'entre en cause le jeu dominant-dominé. Au lieu de se retrouver en situation d'équilibre et de réciprocité, l'un des deux partenaires fait tout en son possible pour attiser la jalousie de l'autre tout en se défendant d'éprouver pareil sentiment. Nécessairement, il arrive ce qui doit arriver: le non-jaloux domine le jaloux et l'humilie.

Ainsi réduit en esclavage, le jaloux risque bien plus de s'enfoncer davantage que de se redresser. Et le non-jaloux triomphe: il possède sans être possédé.

À vrai dire, c'est à qui réussirait le premier à rendre l'autre jaloux! Alors que dans une vraie relation amoureuse, les amants chercheraient à éviter de donner prise à la jalousie en se dépossédant suffisamment pour ne pas éveiller de soupçons injustifiés, c'est tout le contraire qui se passe dans la relation avec le soi-disant non-jaloux. Il ira même jusqu'à s'inventer des aventures pour vous prouver à quel point, au fond, il n'a pas besoin de vous.

Il n'y a qu'une façon de lutter contre pareille entreprise. Il faut d'abord prendre conscience que la jalousie est un sentiment normal qui accompagne tout naturellement l'amour et refuser systématiquement de se sentir coupable de l'éprouver. «Oui je suis jaloux parce que je t'aime. Et si ça ne fait pas ton affaire, fous le camp et que je ne te revoie plus.» Mais ne nous le cachons pas: le grand malheur des amoureux c'est d'être parfaitement incapables de raisonner de cette façon autrement qu'en l'absence — prolongée — de l'être aimé. Celui-ci s'amène-t-il inopinément que l'esprit de décision de l'amant s'évanouit dans les épanchements d'une tendresse sans cesse renouvelée, au mépris de toute justification.

On a tellement dit de mal de la jalousie que c'est finalement la calomnie qui l'emporte sur la vérité. Le jaloux se sent coupable en partant et c'est ce qui assure sa perte.

Ah! ce que je me suis perdu en des temps plus anciens!

Je dois vous avouer une chose: ce qui m'agace, moi, ce n'est pas le partage; c'est l'absence. Je pourrais, à la rigueur, accepter que la personne aimée passe de lit en lit en y froissant à peine les draps. Mais à la condition de froisser les miens davantage et plus souvent. Mais comme personne ne possède le don d'ubiquité, cela devient physiquement impossible. Les queues et les cons sont indivisibles — comme un certain pays...

Autrement dit, je ne suis pas jaloux parce qu'on couche ailleurs; je suis jaloux parce qu'on ne couche pas avec moi!

Vous direz que ça ne fait aucune différence. Vous avez sans doute raison, mais il me plaît à moi d'en trouver une. Je me donne ainsi l'illusion d'ennoblir mon sentiment en le dénuant de tout relent d'égoïsme.

J'aime qu'on m'aime comme j'aime quand j'aime.

C'est clair?

Et si on prétend m'aimer sans m'aimer quand j'aime comme j'aime, alors attention! Je vais vous piquer la plus belle crise de jalousie qu'il vous ait été donné de connaître!

Tout cela étant dit, j'affirme que l'état de jalousie est loin d'être le meilleur qui soit et que j'aspire, comme tout le monde, à connaître cette merveilleuse aventure amoureuse où la jalousie est absente parce que rendue inutile.

C'est souffrant, la jalousie, et je ne la souhaite à personne. C'est pourquoi je souhaite qu'on ne me donne plus jamais de raison de l'éprouver.

Ce n'est pas un sentiment abstrait. On ne naît pas jaloux; on le devient par la faute des autres.

Et si la jalousie est parfois démonstrative d'intolérance et d'anxiété injustifiée, elle est souvent démonstrative d'amour. Elle peut dénoter un certain manque de confiance en soi mais elle exprime également la fierté d'un homme qui croit mériter plus qu'il ne reçoit.

Elle valorise l'être aimé qui, plus souvent qu'autrement, ne s'en aperçoit même pas. «*Jalousie*: soin ombrageux à conserver un bien que l'on craint de perdre, de se voir enlever.» (Quillet)

On craint donc de perdre un bien précieux et qu'on croit irremplaçable. Quel être aimé ne se réjouirait pas de pareille déférence?

Mais j'ai triché et je me sens dans l'obligation de vous l'avouer. En effet, Quillet dit encore: «Disposition anxieuse et souvent névrotique d'une personne qui aime, et craint que la personne aimée n'éprouve un sentiment de préférence pour quelque autre, ou ne soit infidèle.»

Qu'est-ce que je disais, déjà?

Nous,
juin 1977

Le coup de foutre

C'est quoi, le coup de foutre? Ça ressemble étrangement au coup de foudre mais c'est, littéralement, un coup bas — un coup porté en bas de la ceinture. C'est la passion soudaine et violente qu'on éprouve pour le sexe de quelqu'un d'autre. Passion exclusivement sexuelle.

L'intelligence? Bah! on peut bien s'en passer. Les grands sentiments? Ça peut toujours attendre. Les affinités psychologiques et morales? Rien à en foutre! Déshabille-toi et oublie tout le reste.

Il n'y a rien de romantique là-dedans, et pourquoi en serait-il autrement? Il n'y a que le plaisir total de la sexualité partagée, privilégiée, poussée jusqu'à son apogée.

C'est l'envie irrésistible de faire l'amour vingt-quatre heures par jour, jusqu'à épuisement. C'est de ne plus pouvoir débander. C'est découvrir les quarante-deux nouvelles positions dont on ne soupçonnait même pas l'existence. C'est s'imaginer, le temps que ça dure, que l'homme n'a été créé que pour ça. C'est baiser, baiser, baiser, jusqu'à en rendre l'âme et en perdre la raison.

Le coup de foutre frappe au moment où l'on s'y attend le moins. Mais il ne frappe pas tout le monde. Il faut y être mentalement préparé. C'est-à-dire qu'il faut avoir envie de n'être aimé que pour son cul.

Les tristes sires qui voudraient qu'on les aime pour leur intelligence, pour leur générosité ou pour leurs beaux sentiments sont à jamais, hélas! immunisés contre le coup de foutre. Ils ne savent pas de quoi ils se privent.

Je les entends, ici ou là, se plaindre amèrement: «Moi, on ne m'aime que pour mon cul.» Et puis après, qu'y a-t-il de mal là-dedans? De toute façon, peut-être n'ont-ils rien d'autre d'aimable. Encore chanceux d'avoir *au moins ça!* Qu'ils en profitent donc au lieu de courir le risque qu'on ne les aime en rien.

Je dois avouer, pour ma part, que je ne partage en aucune façon cette attitude arrogante et morose. Moi, quand on me dit: «C'est ton cul que je veux, et rien d'autre», je réponds: «Enfin! Je n'aurai donc pas besoin de faire mon show d'homme - intelligent - pour - qui - le - sexe - tu - sais - est - bien - secondaire.»

Je n'aurai pas besoin d'offrir le mariage avant de pouvoir poser l'œil et la main sur l'objet de mes désirs. On ne me parlera pas de respect. On ne me dira pas «qu'il n'est pas bien de coucher avec quelqu'un lors de la première rencontre».

Je ne serai pas forcé de jouer la vertu. Je n'aurai pas besoin de faire semblant de ne pas avoir envie de... Les «puisqu'il le faut» suivis d'un grand soupir ne sont pas tout à fait mon genre. «Moi, tu comprends, j'ai bien envie de coucher avec toi, mais si ça ne doit durer qu'une nuit...»

Allez, embarque! Une nuit c'est mieux que rien, non?

Ça fait des manières, ça s'invente des prétextes, ça se masturbe le ciboulot, ça voudrait toujours le grand amour à n'en plus finir, ça prend des précautions.

Allez, au lit! ai-je envie de crier.

Ces gens-là ne méritent pas le coup de foutre. Le mériteraient-ils qu'ils passeraient à côté à tout coup tant ils font de détours pour l'éviter. Tant pis pour eux. Moi, je n'ai aucune pitié pour cette sorte de gens. «Tu veux qu'on t'aime pour ton intelligence? Soit! Maintenant, va-t'en coucher tout seul, c'est tout ce que tu mérites!»

Malheureusement, il ne suffit pas de mériter le coup de foutre et d'y être préparé pour qu'il se produise automatiquement.

À vrai dire, il reste aussi rare que le coup de foudre ordinaire. Dieu merci! pourrais-je ajouter. Car, malgré tous ses bienfaits, ce n'est pas une entreprise de tout repos.

C'est en effet l'aventure de tous les instants. Pendant des jours et des nuits, il n'y a plus une parole, plus un geste, plus une attitude qui soit étrangère à la poursuite de l'objectif global des personnes en présence. La parole la plus innocente devient obscène, le geste quotidien se transforme en explosion érotique et l'attitude apparemment la plus détachée appelle le viol.

Le moulin à poivre est phallique, l'orchidée tient plus du vagin que de la fleur.

Si tu me frôles, je t'enlace et tu n'as pas le temps d'ouvrir la bouche pour protester que je te l'ai déjà verrouillée d'un baiser.

L'endurance physique des partenaires est mise à rude épreuve. Pendant que l'intelligence se repose (elle aurait l'air de quoi si elle s'avisait de montrer le nez?), le corps n'en finit plus de s'épuiser à la tâche.

Manger? Il le faudrait bien, mais l'omelette est à peine retournée que l'autre s'amène dans la cuisine dans toute sa nudité. Au diable l'omelette!

Dormir? On ne peut pas faire autrement. Mais d'un œil seulement. Cette main entre mes cuisses. Cette bouche sur mon ventre. Bon, j'ai compris, je dormirai la semaine prochaine... Peut-être.

Travailler? Il n'en est absolument pas question! Si on ne peut pas se passer de moi pendant dix jours, eh bien tant pis! on me mettra à la porte et c'est tout.

Les amis? Plus de père, plus de mère, plus d'amis. Disparus, tous. Ils ne comprendraient pas, de toute façon. «On te croyait intelligent... Que t'arrive-t-il?... As-tu perdu la tête?» Vous voyez le genre d'ici.

Il n'y a vraiment plus qu'une chose qui compte: faire l'amour.

Première journée: excitation maximum. Tout se fait trop vite et pas aussi bien qu'il le faudrait. On reste nerveux. On reste insatiable.

Deuxième journée: on a décroché le téléphone. On sait que ça va durer longtemps. On prend le temps de découvrir, de caresser davantage. La tension décroît un peu. Chaque nouvelle séance nous laisse un peu plus reposés.

Troisième journée. On ne baise peut-être que deux fois, mais longuement, à n'en plus finir. On prend le temps de goûter quelques fromages et une bouteille de vin. On commence à se parler un peu mais la conversation reste superficielle. Le regard prend de plus en plus d'importance. On risquera peut-être de dormir quelques heures.

Quatrième journée. On dirait qu'elle ressemble à la première. Mais accompagnée d'une légère angoisse. On commence à craindre que tout cela s'achève bientôt. Alors on en remet. Maintenant c'est tout ou rien.

Cinquième journée. On commence à se sentir repu. On traîne dans la maison. On lit distraitement quelques magazines. On baise peut-être sans avoir vraiment envie d'aller jusqu'au bout. On s'aperçoit pour de bon qu'il ne s'agit que d'un «trip de cul» et qu'il ne faut pas en attendre davantage. Peut-être un peu de mélancolie. On se dit que la chair est triste — mais on ne le croit pas vraiment. Intelligent ou pas, on n'a pas envie de savoir ce que l'autre a dans la tête.

Sixième journée. L'ennui s'installe. Mais on en connaît la panacée et on l'utilise abondamment. On baise vite et bien. Plusieurs fois. On a raccroché le téléphone et on commence à espérer qu'il sonne.

Septième journée. Bon, il faudrait bien retourner travailler. Demain. Convainquons-nous que c'est la dernière journée et tirons-en le maximum de profit. Le plaisir. Le plaisir le plus total puisqu'on sait désormais qu'on n'aura pas à faire d'effort pour le faire durer plus longtemps. Le plaisir gratuit. Peut-être un peu de tendresse. On ne peut pas passer sept jours dans les bras de quelqu'un sans éprouver quelque sentiment d'appartenance, si ténu soit-il. On dort ensemble une dernière fois. On dort vraiment, sans arrière-pensée, complètement épuisé.

On se quitte au matin sans violente émotion. Un léger baiser, un sourire, un geste de la main. Voilà, c'est fini.

On retrouve ses amis, ses petites habitudes, et on est rassasié pour un bon bout de temps. Quel beau coup de foutre! Le cul pour le cul. Rien d'autre. Pas de grands sentiments, et surtout pas de morale.

Comme ça fait du bien! On recommence à penser au grand amour en souhaitant presque qu'il ne se présente pas trop rapidement.

On retrouve temporairement son intelligence.

Et on la retrouve juste assez pour comprendre qu'on est encore tout disposé à la perdre de nouveau, à perdre encore la tête et la raison, à perdre même l'envie d'avoir jamais été intelligent.

On se reprend à rêver. La prochaine fois, ce sera le coup de foudre... Peut-être.

Nous,
avril 1978

Vivre seul, c'est être libre

J'ai quarante-deux ans. Je vis seul. Et je vis seul avec plaisir depuis plus de quinze ans. Le plaisir de la solitude m'est venu au moment où celle-ci est devenue un choix. J'avais vécu seul pendant quelques années auparavant mais parce que j'y étais obligé — parce que je n'arrivais pas à faire autrement.

Le vrai goût de la solitude m'est apparu quand j'ai commencé à faire de la politique. C'est à force de voir et de rencontrer des milliers de gens chaque semaine que j'eus envie de me retrouver, ne fût-ce que quelques heures par jour, absolument seul (même la radio, la télévision et le téléphone m'encombraient).

C'est encore la politique qui m'a rendu misanthrope et qui m'a poussé à rechercher la solitude encore davantage.

Non seulement je vis seul mais je suis casanier de surcroît. Je ne sors presque plus. Désormais, ma solitude, je l'assume et je la savoure. Mon attitude est-elle maladive? Peut-être; mais c'est une question que je ne me pose même pas. C'est aussi cela, la solitude: apprendre à vivre froidement en compagnie de ses maladies et de ses bibites.

Depuis le temps que je vis seul, j'ai appris un certain nombre de choses. La première n'est pas la plus évidente mais elle a une importance capitale: la solitude, pour être vécue agréablement, exige un cadre physique bien défini selon le tempérament de chacun. J'entends par là qu'il faut d'abord être *physiquement bien* chez soi avant de songer à y trouver quelque satisfaction psychologique, morale ou intellectuelle.

J'ai donc une petite maison fort chaleureuse, qui me renvoie jour après jour des vibrations compatibles avec mes états d'âme. Je sais, pour l'avoir éprouvé, qu'il est absolument vain de vouloir vivre seul dans un appartement ou une maison qu'on déteste. La solitude souffre mal d'être mal entourée.

J'ai appris également qu'il faut «habiter» sa solitude si on veut qu'elle soit non seulement supportable mais enivrante par moments. Ça veut dire quoi? Ça veut dire un tas de choses: lire, écrire, s'occuper de ses plantes, repeindre une pièce de la maison, réparer la fontaine du jardin, recevoir des amis, cuisiner longuement et amoureusement, créer, faire une promenade au parc, chercher l'amour (et le trouver parfois), faire le ménage, baiser souvent, travailler, réfléchir, écouter de la musique et même faire la vaisselle. Autrement dit, communiquer avec les gens et avec les choses sans avoir à supporter constamment leur présence.

Mais je sais des solitudes inhabitées qui peuvent être mortelles. La solitude exige une grande autonomie de fonctionnement et c'est l'absence de cette dernière qui pousse les grégaires que sont la plupart des gens à s'entasser les uns sur les autres le long d'une autoroute, dans un camping ou un parc de roulottes.

Il suffit de connaître un peu ces gens-là pour découvrir que leur solitude est non seulement inhabitée mais qu'elle est devenue, avec les ans, *inhabitable*. C'est une solitude dont on peut mourir.

Vivre seul, il faut bien le souligner, c'est aussi vivre avec quelqu'un d'autre quand l'envie nous en prend —

ou quand l'amour nous y pousse. La solitude n'est pas alors véritablement entamée puisqu'elle reste toujours à portée de la main. Il suffit d'une parole ou d'un geste pour la retrouver.

Vous pensez déjà: quel égoïste! Et vous avez parfaitement raison. Mais pas plus égoïste que ceux qui n'ont pris femme et enfants que parce qu'ils ne supportaient pas de se retrouver seuls avec eux-mêmes. Pas vrai? Cet égoïsme-là ne ressemble peut-être pas au mien, mais il n'en est pas moins fort pour autant. À vrai dire, c'est presque toujours par égoïsme que certains font des enfants — et c'est également presque toujours par égoïsme que d'autres n'en font pas.

La solitude, aussi habitée soit-elle, n'en comporte pas moins ses avantages et ses inconvénients. Parlons d'abord des avantages qui, pour moi, sont beaucoup plus nombreux que les inconvénients.

La solitude, c'est la liberté! Un poncif? Bien sûr, mais inévitable dans les circonstances. Autant il est vrai que l'extrême richesse ou l'extrême dénuement sont l'un ou l'autre une condition primordiale à l'exercice de la liberté, autant il est vrai que la liberté ne peut se vivre vraiment que dans la solitude ou dans le dévouement total à l'humanité tout entière.

La liberté supporte mal le juste milieu.

Mais redescendons un peu sur terre et parlons plutôt de toutes ces petites libertés triviales qui font le plaisir de la vie en solitaire.

La liberté de n'avoir à faire de concessions à personne. La liberté de ne voir que qui l'on veut et quand on le veut. La liberté de s'entourer de bruit ou de silence, de vivre pleinement toutes ses petites habitudes et toutes ses petites manies sans craindre de les voir constamment bousculées. La liberté de se bâtir un «nid» à sa propre mesure, selon ses propres moyens et ses propres goûts.

La liberté de n'avoir à répondre à personne d'autre qu'à soi-même. La liberté de manger à n'importe quelle heure du jour ou de la nuit. La liberté de ne jamais «déranger» personne et de n'être jamais «dérangé» par quiconque, comme celle d'être «dérangé» si l'envie nous en prend. La liberté de choisir de ne pas être seul pendant une nuit, un mois ou un an, de changer de partenaire à volonté, d'ouvrir la maison toute grande aux amis et aux connaissances ou de la boucler hermétiquement. La liberté de laisser traîner la vaisselle sale et de laisser le lit défait. La liberté de travailler quinze heures par jour ou de flâner toute la journée. La liberté de dépenser ou d'économiser. La liberté d'être déprimé ou triste ou mélancolique sans être forcé de s'expliquer. La liberté de ne jamais sortir de chez soi ou de partir pendant un mois.

La liberté, quoi!

Je pourrais en ajouter à l'infini. Les petites libertés de qui vit seul sont innombrables, et il suffit de lire l'envie dans les yeux de ceux qui vivent à deux, à quatre ou à douze pour se convaincre de ne les étaler qu'avec la plus grande pudeur (ce que je ne suis pas précisément en train de faire).

Et que dire de l'usage exclusif de la salle de bains ou de la toilette? Comment ne pas souligner que ça coûte moins cher de vivre seul que de vivre à plusieurs — contrairement à ce que croient certains? Comment ne pas comprendre la béatitude de n'avoir de responsabilités envers personne? Pourquoi ne pas parler du plaisir de la misanthropie vécue? Pourquoi enfin ne pas mentionner la douce habitude de la masturbation... intellectuelle?

Je ne dis pas qu'il ne peut pas y avoir de liberté à l'intérieur d'un couple, d'une famille ou d'une commune, bien au contraire. C'est d'ailleurs d'abord dans ce premier choix, celui du mode de vie, que s'exprime le plus profondément la liberté de chacun. Mais je dis qu'à l'intérieur de ces choix existent des libertés fort différentes qui ne vont pas nécessairement à tout le monde.

Si je préfère les libertés qu'offre la solitude, c'est qu'elles me vont comme un gant et qu'elles satisfont parfaitement mon égoïsme. Et comme elles me permettent même de ne pas vivre seul quand j'en ai envie... Que demander de plus?

Avant même de parler des inconvénients de la vie en solitaire, je voudrais souligner l'importance de quelques accessoires indispensables pour qui, vivant seul, ne veut pas mourir d'ennui.

Le téléphone, la télévision, la chaîne stéréo, les livres.

À la rigueur, je pourrais m'en passer mais je ne le veux pas. Ils remplissent tous des fonctions différentes mais que je juge essentielles à la qualité de la vie en solitaire.

Le téléphone: on peut avoir envie de vivre seul à l'année sans avoir envie de vivre seul vingt-quatre heures par jour — ce n'est pas la même chose. Dieu merci, il y a le téléphone. Je crois n'avoir même pas à vous expliquer son importance dans la vie de l'homme qui vit seul. Qu'il suffise de dire qu'il élimine à lui seul plusieurs des inconvénients de la solitude.

La télévision et la chaîne stéréo: elles remplissent à peu près la même fonction. Je ne parle pas ici de la télévision qui marche sans qu'on la regarde ou de la musique qui joue sans qu'on l'écoute. Ces deux appareils sont pour moi des instruments qui créent la vie quand la vie, essoufflée, ne se suffit plus à elle-même. Et le fait de vivre seul me permet de ne regarder ou de n'écouter que ce que j'ai envie de regarder ou d'écouter à tel ou tel moment. Dans la vie d'un homme seul, les images et la musique peuvent être «actives» — c'est-à-dire qu'on les choisit pour leur valeur intrinsèque, pour le bien-être ou les connaissances qu'elles peuvent nous apporter —, ou «passives», c'est-à-dire qu'elles ne servent plus alors qu'à épouser un état d'âme ou à *boucher un trou* dans la journée. Mais, dans les deux cas, elles servent à éloigner l'ennui qui guette toujours le solitaire.

Les livres: je voudrais m'en passer que je ne le pourrais pas. Je ne soulignerai jamais assez le plaisir que je prends à communiquer avec quelqu'un sans avoir à supporter ses tics, sa présence malodorante ou ses moments d'insignifiance. Je peux, dans les livres, me choisir des amis que je n'aurais jamais eu l'occasion de rencontrer ou qui, trop familiers, perdraient mon amitié. Je peux choisir de communiquer avec une pensée, un style, une langue sans avoir à subir les contraintes physiques de l'environnement social ordinaire. Je peux avoir accès au divertissement ou au génie sans le moindre effort et à peu de frais. Je ne suis jamais seul quand je suis avec Marcel (Proust, évidemment).

Certains vous diront que les livres sont leurs meilleurs amis. Pas moi. Je préfère et de beaucoup mes amis en chair et en os; entre eux et moi il y a la passion et rien ne peut remplacer la passion. Les livres ne pouvant pas établir ce rapport passionnel que je privilégie par-dessus tout, ils ne sauraient en aucun cas remplacer mes amis.

Cela dit, je ne connais rien d'aussi efficace que les livres (hors l'amour) pour «meubler» l'esprit.

Bon, j'ai tout dit des avantages de la solitude et des accessoires nécessaires à son bon fonctionnement; qu'en est-il maintenant des inconvénients? Car ils existent — et ils sont parfois de taille.

Si habitée soit-elle, une solitude ne peut l'être vingt-quatre heures par jour, trois cent soixante-cinq jours par année. Je l'ai dit plus tôt, l'ennui rôde. Et je ne connais rien de pire que l'ennui. C'est un sentiment que j'éprouve rarement. Dieu merci, mais il est sans remède. Pour ma part, je n'ai trouvé qu'un moyen de le combattre: attendre. Cela peut durer deux heures ou deux jours, mais on finit toujours par en sortir. Inutile de s'agiter, de multiplier les appels téléphoniques ou d'écouter de force la Tétralogie in extenso.

Je ne suis pas convaincu cependant que l'ennui soit l'apanage des gens qui vivent seuls. Il me semble qu'il atteint souvent aussi les autres, ce qui me porterait à dire que l'ennui se porte à l'intérieur de soi-même et qu'il est indifférent aux contingences extérieures. Ne s'agirait-il pas en fait d'une sorte de lassitude qu'on a de soi-même?

Un autre inconvénient de la solitude, c'est qu'elle est souvent avorteuse de la stimulation. J'entends par là que lorsqu'on ne fait toujours les choses que pour soi-même, on finit par se lasser. L'énergie qu'il faut mettre pour élaborer et réussir un projet qu'on fait à deux ou à plusieurs est fort stimulatrice à plusieurs égards. Moi, pour ma part, je passe successivement par deux phases bien distinctes: la contemplation et l'action. Si je suis dans une période contemplative, je n'ai pas besoin de stimulation. Je peux alors vivre «avec moi-même» avec toute l'intensité créatrice requise. Mais lorsque survient une période active, il est certain que la solitude met un frein à mes ambitions.

Autre chose: je déteste manger seul — mais je déteste encore plus manger avec n'importe qui. J'adore cuisiner mais seulement pour les gens que j'aime. Or, quand on vit seul, on n'a pas toujours les-gens-qu'on-aime sous la main. Alors, je mange seul plus souvent qu'autrement. Je hais cette situation et c'est à l'heure du dîner que j'ai toujours le plus envie de me marier!

Il est difficile, lorsqu'on vit seul, de partager ses joies et ses peines. Nonobstant ce que j'ai dit plus haut — soit qu'il est bon d'être déprimé sans être forcé de s'expliquer —, il n'en reste pas moins que dans la plupart des cas c'est plutôt le contraire qu'on souhaite. C'est là un des inconvénients de la solitude. Et, on le sait, il est tout aussi difficile de supporter seul la joie que la peine.

L'angoisse. Quand rien ne va plus. Quand tout espoir s'est envolé. Quand on ne se trouve plus aucune utilité. Quand le besoin et le désir même ont disparu. Cela arrive à tout le monde. Mais quand on vit seul, cette angoisse peut facilement dériver vers le désespoir. J'ai appris depuis le temps à la combattre mais ça prend toujours un peu de temps, et le temps que ça prend me semble toujours infini.

Le manque d'affection. On a beau avoir les meilleurs amis du monde, on a beau baiser à droite et à gauche, on a beau s'épancher autant qu'on peut et on a beau crier sur les toits les avantages de la solitude, il reste toujours que celui qui vit seul manque d'affection, quoi qu'il puisse dire.

À quoi bon se le cacher? J'irais même jusqu'à dire que lorsque le solitaire part en chasse, c'est l'affection qu'il traque beaucoup plus que l'amour.

Je manque d'affection? Oui. D'affection et de tendresse. Et de tendresse (le plus beau des sentiments) encore plus! Qu'à cela ne tienne! J'ai la santé.

Il me vient souvent une dernière réflexion sur les inconvénients de la solitude: elle concerne la maladie et la vieillesse.

Je suis rarement malade et je n'ai jamais été vraiment malade lorsque j'étais seul. Mais j'envisage toujours cette possibilité avec effroi. Ce doit être terrible.

Et la vieillesse? Aurai-je encore quelque plaisir à vivre seul à soixante-dix ans? Pourrai-je alors me contenter des «accessoires» si c'est alors tout ce qui me reste? Je ne sais pas. C'est pourtant une question que je me pose de temps en temps.

Enfin, nous verrons bien.

Vivre seul. Pour conclure, laissez-moi vous dire que ce n'est pas une chose que je recommanderais à tout le monde. Il faut bien sûr en avoir le tempérament, mais il faut surtout apprendre à organiser sa solitude. Ce n'est pas plus difficile que d'organiser la vie à deux ou à quatre, mais comme le miroir ne vous renvoie toujours que votre propre image, il faut de toute nécessité se construire une conscience de soi à toute épreuve. Et cela, c'est très difficile.

Vivre pour soi-même, passe encore. Mais vivre avec soi-même, quelle entreprise!

Nous,
novembre 1976

Chantal Bissonnette

Tout le monde le dit, dites-le donc!

«Fait-il bien l'amour?» dit Suzanne à Monique.

«Oh oui, c'est une maudite bonne botte», répond Monique.

«Côté machin...»

«La plus belle queue en ville!»

«Tu as fait attention, j'espère. Il avait des prophylactiques?»

«Non, mais depuis que je ne prends plus la pilule je ne prends plus de chances: j'avais ma réserve de capotes.»

«As-tu atteint ton orgasme?»

«Tu parles: je suis venue trois fois! J'ai la plotte à terre.»

«Pauvre chou, tu as un petit vagin tellement sensible.»

«Pas d'importance. On peut pas laisser passer une botte comme ça!»

Suzanne et Monique sont deux amies à moi. Elles ne sont pas plus vulgaires l'une que l'autre. Elles utilisent tout simplement un langage différent pour parler de ce qu'elles font souvent avec plaisir... et avec compétence, selon ce que m'ont affirmé quelques beaux mâles que nous nous sommes tapés toutes les trois.

Tout le problème est là: il est toujours plus facile de poser un acte que d'en parler. Mais quand nous arrivons à la sexualité, c'est encore pire. Nous affichons alors une pudeur de langage telle que si nous avions eu la même pudeur au lit, nous n'aurions réussi qu'à faire débander le plus fier étalon en ville.

Tiens, prenons ce mot: bander. On dirait qu'il fait peur. Les hommes l'utilisent couramment quand ils sont entre eux, mais ils hésitent à s'en servir devant les femmes. Quant à nous, si nous avons quelque plaisir à constater la chose, nous éprouvons toujours les plus grandes difficultés à la décrire. Une queue bien bandée devient alors un pénis en érection! Si toutefois nous allons jusque-là; car on peut tout aussi bien dire «l'organe mâle qui s'éveille». En vérité, on peut dire n'importe quoi. On peut tourner autour du pot pendant des heures et n'utiliser que des sous-entendus qui finissent par être beaucoup plus vulgaires que la situation elle-même ou que la description qu'on en fait.

Moi, je crois qu'il faut appeler les choses par leur nom. Je crois d'autre part qu'on peut trouver beaucoup de plaisir à parler de sexualité avec les mots de tous les jours, ces mots qu'on ne retrouve pas toujours dans les dictionnaires, mais que la verdeur populaire a consacrés depuis longtemps.

Ce qu'il y a d'étonnant dans cette affaire c'est que nous ne butons pas toutes sur les mêmes mots. Telle femme de mes amies n'hésite pas à me raconter qu'elle s'est fait mettre par trois gars différents dans la même nuit, mais elle jette son chum dehors s'il ose lui dire: «T'es une maudite belle plotte.» Telle autre, qui m'avoue qu'elle aime fourrer en plein jour, ne peut absolument pas supporter qu'un homme lui demande de le sucer. Avec elle on doit parler latin: elle trouve «fellatio» plus approprié.

Le ton avec lequel on dit les choses est tout au moins aussi important que les mots qu'on emploie pour les dire. Je ne suis pas la première à le souligner: la vulgarité est d'abord dans l'esprit de celui et de celle qui parlent et non pas dans les phrases qu'ils emploient.

Un amant peut utiliser avec sa maîtresse les expressions les plus vulgaires tout en lui faisant l'amour avec une douceur infinie et une tendresse incomparable. Par contre, la brute qui n'ose pas parler de mon cul n'en reste pas moins une brute sous tous les rapports.

Si je dis: «Fourre-moi pendant que je suce ton chum», je scandalise peut-être les bonnes âmes mais la situation n'en serait pas moins scabreuse si je disais: «Pénètre-moi pendant que je prends le pénis de ton ami dans ma bouche.»

Soyons franches: nous aimons, tout autant que les hommes, «mal parler»; mais on nous a tellement appris à ne pas employer les «mots sales» qu'ils nous restent encore pris au fond de la gorge, même au moment du vertige.

On a envie de crier: «Je viens... Je viens... Je viens...» pour indiquer à son partenaire qu'il serait temps qu'il en fasse autant. Mais on ne dit rien ou alors on a envie de parler d'orgasme, parce que c'est comme cela que c'est écrit dans les livres. Mais vous savez aussi bien que moi, mes filles, qu'il est préférable de ne pas dire: «Je suis en train d'atteindre mon orgasme» à un mâle qui décharge à pleine queue. Ou alors vous risquez d'avoir droit à un beau *coïtus interruptus!*

Tiens, vous voyez? J'ai dit «décharger» au lieu d'«éjaculer», et j'ai quand même fini par finir ma phrase en latin! La langue de la sexualité est souvent si ampoulée qu'on finirait par croire qu'on fait de la médecine au lieu de baiser.

Baiser, fourrer, se mettre: ce sont des mots qu'on n'a pas le droit d'employer. Il faut dire «faire l'amour», n'est-ce-pas? Pourquoi donc? Si les mots ont un sens il est certain que je ne fais pas l'amour chaque fois que je baise. Alors pourquoi tromper tout le monde et se tromper soi-même par-dessus le marché?

Mon gars a des belles gosses, des belles couilles, une belle poche, de beaux testicules, un beau pénis, une belle queue, un beau machin, un beau zizi, un beau zouzou. Je dirai, en voyant tout cela à travers son pantalon: «Humm, le beau paquet!»

Il dira que j'ai un beau vagin, une belle plotte, une belle touffe, une belle nounne, et quoi encore! Il parlera de mes seins, de mes «jos», de ma belle paire, de mes tétons, et il ajoutera: «Tu n'étais pas très bonne botte hier.»

Et puis on peut avoir un beau cul et des belles fesses. Vous appelez ça comment, vous autres, quand vous ne voulez pas être vulgaires?

On ne se crosse pas, on se masturbe, ma chère! On ne «frenche» pas, on se donne des baisers profonds! On ne suce pas, on pratique «l'amour oral»! On n'attrape pas des morpions, on se contente de se débarrasser de ses papillons d'amour! On n'a pas une queue ou une plotte, on a des organes génitaux ou mieux encore des «parties»! On ne se fait pas enculer, on pratique la sodomie! Le 69? Allons, Chantal, ne sois pas vulgaire.

Vous voyez ce que je veux dire?

Je ne suis pourtant pas plus «cochonne» que les autres. Et ce n'est sûrement pas plus «cochon» d'écrire tout ce que je viens d'écrire que de le faire à l'année longue. Nous le faisons toutes comme si de rien n'était mais de grâce, n'est-ce-pas, «taisons ce mot que je ne saurais entendre.»

Pourquoi les hommes auraient-ils le privilège d'utiliser un langage «ordurier» pendant que nous en serions réduites à baiser en latin?

J'affirme solennellement que «mal parler» est un droit!

Je vous propose une expérience, mes toutes belles: trouvez-vous un beau gars. Assurez-vous d'abord qu'il est bonne botte (demandez-le à vos amies: en général, si elles n'en parlent pas, c'est qu'elles se le sont déjà tapé).

Invitez-le à dîner dans un bon restaurant. (Oui, oui, ça se fait de plus en plus, ne craignez rien.) Commandez une bonne bouteille de vin et, pendant les deux heures qui suivent, tout en dégustant vos langoustines avec volupté, expliquez-lui que vous voulez coucher avec lui tout en lui décrivant, dans le langage le plus «cochon», tout ce que vous lui ferez et tout ce que vous aimeriez qu'il vous fasse. Ce faisant, jouez du genou sous la table et n'hésitez pas à vérifier, en y mettant la main, si vos propos lui font de l'effet.

Ramenez-le chez vous et constatez les résultats. Ils seront de deux ordres: d'abord, vous aurez pris le dîner le plus sexy de votre vie. Ce plaisir-là n'est pas à dédaigner, croyez-moi; c'est une entrée en matière qui en vaut bien d'autres.

Puis, en guise de dessert, vous aurez la meilleure botte de votre vie. Son plaisir et le vôtre seront décuplés. Vous n'aurez plus qu'à recommencer autant de fois que vous le pourrez.

Au lever, vous serez peut-être un peu gênée d'avoir été aussi «cochonne» pendant le dîner. Vous vous étranglerez peut-être quand vous aurez envie de lui dire, entre deux cafés: «Tu sais, t'es une sacrée bonne botte!»

Alors, embrassez-le tendrement en lui disant tout simplement: «C'que tu fais bien l'amour, mon chou.» Il vous croira sur parole. Il pensera que vous êtes déjà amoureuse. Sa vanité sera comblée.

Il ne saura même pas que vous pensez la même chose que lui: une botte d'un soir.

Après le deuxième café, demandez-lui le numéro de téléphone de son ami Marc avec qui vous l'avez vu la veille. «J'aimerais le rencontrer, lui direz-vous alors doucement à l'oreille; je veux voir s'il fourre aussi bien que toi.»

Je vous jure qu'il partira la queue basse. Qu'à cela ne tienne, ma chérie: vous aurez au moins appris cette nuit que votre bouche peut servir à parler… aussi.

Nous,
mars 1975

L'amour à temps et à contretemps

Bon, tout simplement parce que j'ai eu le malheur, un jour, de soumettre à *NOUS* un petit texte inoffensif sur le vocabulaire sexuel qui eut un certain succès — des centaines de lecteurs me haïssent depuis —, me voilà aux prises chaque mois avec les problèmes de cul de tout le monde. Si ça continue, je n'aurai même plus le temps de penser aux miens. Je finirai par baiser ma machine à écrire, au grand désespoir de mon mari forcé, de son côté, à se taper une dactylo.

Mais que voulez-vous, Huguette Proulx ne suffisant plus à la tâche, je veux bien, encore une fois, sacrifier une partie de mon plaisir à l'enrichissement du vôtre. Vous conclurez encore une fois que je suis trop portée sur la chose, surtout sur celle des autres, mais je suis prête à subir volontiers ce terrible jugement car je sais que vous êtes tous des hypocrites. Au fond, vous êtes aussi cochons que moi et vous avez plus envie de savoir ce que j'ai dans ma culotte que sous mon chapeau. Et c'est bien ainsi. Car pour le cul, n'importe quel bon étalon peut toujours faire l'affaire. Mais pour me faire jouir de la tête, ça me prend un homme. Or les hommes sont si rares de nos jours que je ne prendrai sûrement pas le risque de vous compter parmi eux.

Me voilà bien agressive aujourd'hui, vous ne trouvez pas? Ne cherchez pas plus loin: mon mari est parti depuis une semaine et je suis cloîtrée, seule, dans notre petit chalet du Lac Témiscamingue. Alors, vous pensez bien...

De quoi va-t-on parler aujourd'hui? De l'équilibre sexuel entre les partenaires. C'est pas beau ça?

Vous êtes le type même de l'étalon en rut: toujours en érection. Vous pourriez faire l'amour trois fois par jour, trois cent soixante-cinq jours par année. Votre femme trouve que vous exagérez un peu. Depuis quelque temps elle dit «non» plus souvent. Vous insistez. Elle commence à dire que vous ne l'aimez que pour «ça». Vous vous tuez à lui dire que c'est faux, mais que vous l'aimez *aussi* pour son cul. Elle vous croit de moins en moins. Que faire?

Vous êtes mariée depuis trois ans. Vous étiez technicienne de laboratoire. Votre mari vous a dit: «Je peux parfaitement faire vivre ma femme. Je ne veux plus que tu travailles.» Vous vous ennuyez. Vous ne savez plus que faire de vos dix doigts. Vous étiez une femme très active et vous voilà cloîtrée à la maison, à faire quelques travaux ménagers qui vous ennuient. Aussitôt votre mari a-t-il mis le pied dans la porte que vous lui sautez littéralement dessus. Avant même qu'il ait eu le temps de prendre son gin, vous l'avez déjà déshabillé. Vous pourriez le baiser pendant douze heures s'il ne vous écartait soudain avec impatience.

Il n'en peut plus. Et ne voilà-t-il pas qu'il vous traite de nymphomane, alors que vous vous êtes toujours crue parfaitement normale. Que faire?

Ces deux petites histoires banales illustrent bien le propos dont je veux vous entretenir aujourd'hui.

Le sexe ne fait pas toute la vie d'un couple mais il est quand même mauditement important. Et il n'y a rien de pire, pour détruire la sexualité d'un couple, voire même son amour, que le déséquilibre entre les désirs sexuels des partenaires.

Je ne parle pas ici de ces petits déséquilibres temporaires qui sont l'apanage de presque toutes les situations: on peut ne pas toujours avoir envie de baiser exactement au moment où l'autre se sent des ardeurs de lapin. Ou alors on a un *vrai* mal de tête. Ou encore on est occupé à faire un travail qu'il *faut* terminer de toute urgence...

Il n'y a pas là de quoi fouetter un chat — on se reprendra demain matin, ou dans une demi-heure. Chez un couple équilibré sexuellement, les contretemps ne font qu'exciter davantage les désirs, ils n'entravent aucunement la marche normale des choses.

Non, je veux plutôt parler de ces véritables déséquilibres qui tuent les amours les plus enflammées et qui transforment en ennemis les partenaires les plus unis.

Or, plus souvent qu'autrement, il arrive que ces situations soient causées beaucoup plus par des problèmes d'ordre psychologique que par les habitudes sexuelles de l'un ou l'autre des conjoints.

La plupart du temps, une bonne conversation peut tout arranger. Il suffit d'y mettre un peu de bonne volonté et de tenter de comprendre l'autre aussi bien que soi-même.

Revenons à notre première petite histoire. Il suffit de remonter un peu en arrière pour connaître la source du problème d'aujourd'hui. Lorsqu'ils se sont mariés, nos deux tourtereaux avaient tous deux la même passion. Il n'en finissaient plus de faire l'amour. Elle en redemandait tout le temps, et lui aussi. Mais elle avait toujours un peu souffert d'insécurité. Elle n'était pas toujours sûre de ses sentiments non plus que de ceux des autres. Petit à petit une idée prit naissance en son esprit: «Il ne m'aime que pour mon cul.» Il avait beau lui prouver le contraire tous les jours, elle était incapable de se débarrasser de cette petite idée qui prenait chaque jour plus d'importance. Au début, elle essaya de se raisonner: «Non, ce n'est pas vrai. Et puis après, même si c'était vrai, j'aime cela, non?» Mais la petite idée lancinante faisait ses ravages, lentement mais sûrement. Elle n'arrivait plus à se convaincre qu'il puisse en être autrement. Elle s'inquiéta, puis s'affola. Finalement: «S'il ne m'aime que pour mon cul, il me laissera tomber à la première tentation.»

Elle commença par le faire languir puis elle finit par lui dire *non* carrément, de plus en plus souvent. Il devint agressif. Il ne comprenait pas.

Tout aurait pu très mal finir si un de leurs amis de longue date, bien au courant de toutes leurs affaires, n'avait décidé un jour de s'en mêler. Il les força à s'expliquer devant lui, d'abord séparément puis ensemble. Il n'en fallait pas plus. Étalé au grand jour, le problème se réduisait à presque rien: un peu d'insécurité émotive, voilà tout. Ils furent bien obligés d'en rire. Mais cela avait failli tourner à la tragédie.

La deuxième petite histoire présente un problème un peu différent mais analogue. Et on n'a pas besoin d'un psychiatre pour l'expliquer. C'est simple: madame s'ennuie mortellement. Elle était très active, elle ne fait plus rien. Elle était habituée à toutes sortes de trépidations, la voilà enfermée dans un cocon feutré où elle sent qu'elle étouffe. Alors, elle fait un transfert vers la sexualité. Elle aimait la vie mais voilà que plus rien ne l'excite. Elle avait du plaisir à rencontrer les gens, elle s'amusait, elle riait tout le temps. Mais il ne lui reste plus que CJMS. Elle ne trouve plus de détente, de plaisir, que dans le sexe. Et elle s'y adonne avec une frénésie presque inquiétante — c'est du moins ce que pense son mari. Il adore baiser mais il n'a jamais eu envie de se retrouver avec une nymphomane. Il crie *grâce!* Elle crie *encore!*

Le problème se régla de la façon la plus incongrue:

une œuvre charitable lui demanda un jour si elle pouvait consacrer un mois à préparer des paniers de Noël et à organiser une fête pour les familles pauvres du quartier.

Elle hésita un peu puis elle accepta. Et, comme elle ne faisait jamais les choses à moitié, elle se jeta dans l'aventure avec passion. Elle travaillait quinze heures par jour. Une semaine ne s'était pas écoulée qu'elle était morte de fatigue. Mais elle était resplendissante. Son mari ne la reconnaissait plus. Et c'est lui qui en demandait maintenant. Mais elle le faisait languir... juste ce qu'il faut, comme au début de leurs fréquentations.

Elle ne s'ennuyait plus, tout simplement. Et comme elle avait du caractère, elle dit à son mari: «Je retourne travailler en janvier.» Il jeta les hauts cris mais elle tint bon. Elle reprit son emploi. Le problème était réglé. Mais encore là, l'affaire aurait pu tourner à la tragédie.

Vous voyez? On croit parfois avoir des problèmes de fesses quand c'est dans la tête que ça ne tourne pas rond.

Bien sûr, il peut arriver qu'il y ait un véritable déséquilibre sexuel entre les partenaires. Certains ont une nature très «sexy» pendant que d'autres se contentent de beaucoup moins. C'est là un problème qu'il faut régler avant de «s'embarquer» avec quelqu'un. Si vraiment la sexualité des partenaires est incompatible, si vraiment on en arrive à la conclusion que l'un ne pourra jamais se retenir pendant que l'autre ne pourra jamais en donner plus, alors il vaut mieux chercher ailleurs un conjoint plus adéquat. L'amour peut aider à résoudre ce genre de problème, mais l'amour ne règle pas tout, et c'est une grave erreur de le croire.

Il faut surtout ne jamais s'imaginer qu'il existe des «normes» en ce domaine. Est-ce qu'on doit faire l'amour trois fois par jour, ou trois fois par semaine, ou trois fois par mois?

Tout est possible et tout est *normal*. C'est affaire d'ajustement aux goûts de chacun. Mais il suffit parfois que l'un des partenaires s'imagine que l'autre n'est pas normal pour déclencher toute une série d'interrogations qui engendreront bientôt des problèmes quasi insolubles.

Tout cela est surtout affaire de compréhension. Il faut comprendre l'autre, et se comprendre soi-même. Par exemple, il suffit d'avoir constaté au moins une fois dans sa vie qu'il peut arriver qu'on n'ait pas envie de baiser pendant un mois — parce qu'on a des problèmes en tête, qu'on est particulièrement fatiguée, qu'on n'est pas en pleine forme, ou qu'on-ne-sait-pas-pourquoi —, pour comprendre que cela peut également arriver aux autres.

On sait alors qu'il suffit d'attendre, que l'envie n'a pas disparu pour toujours et qu'au contraire elle reviendra avec plus de force que jamais demain, après demain ou dans une semaine.

Il faut se parler, il faut se dire ces choses-là. Il faut s'expliquer. Il faut se faire confiance, à soi-même et aux autres. Il faut aussi se connaître. Car il faut souvent remonter dans l'enfance et dans l'adolescence pour trouver la source du mal.

La fille qui a reçu une éducation puritaine d'une mère qui n'a jamais connu la jouissance sexuelle et qui déteste les hommes pourra mettre un certain temps à «s'apprivoiser».

Un garçon dont le père était impotent et répétait tout le temps: «Si au moins je pouvais baiser, il n'y a que cela qui compte après tout», peut souffrir d'une fixation sexuelle. Le problème de son père l'aura traumatisé au point qu'il ne s'imaginera pouvoir trouver le bonheur qu'au lit, vingt-quatre heures par jour. Il lui faudra du temps pour retrouver son équilibre.

Si on ne se connaît pas, si on est incapable de s'analyser soi-même, si l'autre ne dit rien de son passé et de ses expériences, si la vie à deux est entourée de secrets et de mystères, si on se «cache des choses», si on a peur de parler, si on souffre d'insécurité, si on manque de confiance, si on prend son plaisir en se désintéressant du plaisir de l'autre, si on refuse d'accorder de l'importance à la sexualité (même quand on a fait vœu de chasteté), si on ne sait pas faire la différence entre l'orgasme de la femme et celui de l'homme, si on fait toujours l'amour de la même façon, si on ne cherche pas, si on n'invente pas, *si on ne s'aime pas*, alors tout peut arriver, surtout le pire.

En amour il n'y a pas de normes, il n'y a pas de normalité. Il n'y a que l'équilibre de deux êtres, aussi chastes ou aussi vicieux soient-ils. Tout est permis et aussi souvent qu'on voudra, à la condition d'en tirer tous les deux du plaisir.

Il faut savoir et il faut aimer.

Moi, pour ma part, je sais une chose: voilà déjà huit jours que je n'ai pas baisé et je suis en train de devenir folle. Et mon mari qui ne revient pas avant la semaine prochaine...

Si au moins il venait à passer un beau garde-pêche...

Nous,
septembre 1975

Éteins, je t'en prie!

«Éteins, je t'en prie!»

Combien de fois n'ai-je pas entendu cette petite phrase toute simple qui m'annonçait que j'allais encore faire l'amour à l'aveuglette, sans pouvoir découvrir par les yeux toute cette beauté que je pourrais pourtant palper à ma guise.

«Éteins, je t'en prie!» Comme si on avait honte, comme s'il fallait se cacher, comme si on craignait de découvrir quelque imperfection, quelque défaut de la peau dont il fallait masquer l'existence!

«Éteins, je t'en prie!» juste au moment où je découvre le dessin d'une bouche, la forme amusante d'un nombril, le profil d'une cuisse, le muscle qui saille sous la peau, la blancheur d'un ventre sous un torse bronzé.

J'ai pourtant l'impression qu'il m'arrive quelque chose d'important et qu'il est important que je *voie* ce qui m'arrive.

Mais j'éteins, puisqu'il le faut bien. J'ai envie de soleil et de lumière mais j'éteins. J'ai envie de jour et de contre-jour mais j'éteins. J'ai envie d'éclats et de reflets sur la peau mais j'éteins. J'ai envie de bouche entrouverte et de peau palpitante mais j'éteins. J'ai envie d'yeux, de regards et de contemplation mais j'éteins.

Quelle est donc cette étrange pudeur qui nous retient si souvent au bord de la lumière? Pourquoi faut-il se cacher à soi-même ce moment si intime de l'amour? Quels sentiments de culpabilité se cachent derrière cette petite phrase: «Éteins, je t'en prie?»

Pourquoi des cinq sens de l'amour faut-il trop souvent en écarter un? La vue n'a-t-elle pas les mêmes qualités que les autres et la jouissance exige-t-elle qu'on se ferme les yeux pour en profiter?

Je n'ai pas la compétence voulue pour expliquer ce phénomène. Ce que je sais pourtant, de façon certaine, c'est que ceux et celles qui se privent de faire l'amour au grand jour, sous quelque prétexte que ce soit, se privent d'un plaisir que la seule passion ne saurait autrement remplacer.

Qu'on me comprenne bien: je ne rejette pas l'obscurité du revers de la main et je sais fort bien qu'elle permet d'aiguiser le sens du toucher en particulier; je sais donc à quel point il peut être excitant de découvrir un corps, une peau, une texture, un duvet, une saillie, un trait, sous une main qui se courbe lentement et chaleureusement, qui transmet à l'esprit les battements d'un cœur, qui évalue l'épaisseur d'un épiderme, qui sent vivre avec émoi ce pénis qui se tend.

Il n'est pas toujours nécessaire de voir pour apprécier et il faut parfois fermer les yeux pour aller jusqu'au fond de soi-même.

Mais je veux dire qu'on ne doit pas tirer les rideaux quand le soleil du premier matin éclaire d'un relief particulier ce corps d'homme qui sommeille encore à vos côtés. Tout le plaisir de voir et de regarder peut se jouer à ce moment-là. Et alors faire l'amour avec les yeux pour ensuite faire l'amour en se regardant faire l'amour! Regarder la passion! Découvrir ce nouveau poil au sein gauche et qui avait échappé à l'observation la semaine précédente! Apprécier l'humour d'un grain de beauté «mal placé»! Regarder plus loin pour voir les fleurs et les arbres du jardin pendant que lui, tout nu, en avant-plan, vous contemple longuement les yeux remplis de tendresse! Inscrire son corps, étranger ou intime, dans ce décor quotidien fabriqué pour le contenir dans son épanouissement! Se regarder pour se comprendre, sans dire un mot! Savoir qu'il ne peut plus rien me cacher et que le grain de la peau de ses reins m'est aussi familier que celui de la paume de ma main!

Voir avant de toucher! Toucher en regardant! Voir sa tête entre mes cuisses avant que le plaisir ne me force à fermer les yeux!

Je voudrais faire l'apologie du soleil et de la lumière.

Je dis qu'il faut savoir faire l'amour sur une plage à quatre heures de l'après-midi et je dis qu'il faut savoir changer de lieu car les corps et les esprits se transforment dans un décor différent.

Me voilà bien lyrique. Et pourtant, au départ, mon propos n'était pas de mépriser la nuit en privilégiant le jour.

Je ne voulais pas non plus «éclairer d'un jour nouveau» cet acte qui nous est à tous si familier.

Je ne voulais, au fond, et je ne veux encore, que réhabiliter chez certains le sens du regard.

Et je veux le faire, si possible, sans la vulgarité qui accompagne aujourd'hui cette entreprise.

Feuilletez les magazines, lisez le courrier des lecteurs de certaines revues, vous comprendrez rapidement ce que j'entends par vulgarité. Il n'y a plus de plaisir, pour certains, que dans le voyeurisme et pour d'autres, il semble bien qu'il leur est désormais impossible de faire l'amour autrement qu'entourés de miroirs.

Motels et hôtels réservent des chambres-à-miroirs pour ceux qui voudraient avoir des yeux derrière la tête. Est-ce bien nécessaire? Je n'ai rien contre les miroirs et je pense qu'à l'occasion il peut être fort amusant de se dédoubler dans sa réflexion. Mais c'est l'usage intempestif du miroir, et partant du regard, que je réprouve. Car autant il me semble nécessaire de réhabiliter le sens de la vue, autant il me semble impérieux de ne pas mutiler les autres sens en ouvrant les persiennes.

Le comble de la vulgarité et de la déformation, voire de la perversion, est atteint, dans cette nouvelle invention annoncée récemment dans quelques magazines américains et qui nous présente un tableau suspendu au-dessus d'un lit, tableau qui, sur simple pression de la main, se transforme littéralement en machine-à-regarder.

Le regard devient alors mécanique, narcissique, artificiel et fabriqué. On ne parle plus alors de faire l'amour, on consent tout simplement à se donner en spectacle. Nous en sommes arrivés au cinérama de l'amour, et en trois dimensions, s'il vous plaît.

Je ne suis pas meilleure que les autres. Moi aussi j'ai trouvé l'invention amusante et moi aussi je me suis demandé si je ne devrais pas me la procurer. Si je résiste pourtant à la tentation c'est que plus j'y pense plus je m'aperçois qu'on essaie de m'embarquer, avec toutes sortes de gadgets, dans quelques jouissances passagères hautement mécanisées qui n'ont plus rien à voir avec le désir, la passion et le plaisir.

C'est par la passion qu'on multiplie les jouissances et non pas par un simple jeu de miroirs qui ne pourront toujours, au mieux, que refléter le plaisir.

Et c'est parce que je défends la passion que je commande au soleil de nous éclairer quand nous faisons l'amour. On ne se voit pas plus dans un miroir qu'on se voit dans un film pornographique. L'érotisme, c'est bien autre chose, et s'il exige parfois la lumière il commande également qu'on oublie de temps en temps de se regarder pour mieux voir l'autre.

La véritable réflexion ne peut être qu'intérieure et si

le regard peut la stimuler, il est évident que le miroir ne saurait en tenir lieu.

«N'éteins pas, je t'en prie! Laisse-moi voir, laisse-moi regarder! Laisse-moi contempler, ne fût-ce qu'un instant, la passion que je te mets aux lèvres et au ventre. Et si nous faisons l'amour au lieu de simplement baiser, tu seras, toi, le véritable miroir de ma propre passion!»

Notre vie sexuelle a besoin de lumière: elle a besoin d'être éclairée du dedans comme du dehors.

Que la lumière soit, enfin! Mais attention! Attention au néon, il peut tout détruire. Sous cet éclairage votre plus beau partenaire risque de prendre des allures de crapaud moribond. Faites-en vous-même l'expérience. Le soir où dans un bar vous aurez dragué quelque Adonis, amenez-le manger un smoked meat chez Ben's, à Montréal, au coin de Maisonneuve et de Metcalfe. Vous verrez alors ce que j'entends quand je parle d'éclairage au néon. C'est impitoyable. Si votre Apollon réussit à passer le test, si vous le trouvez encore beau au moment de payer l'addition c'est qu'il est beau en tab...

Croyez-moi: la lumière du soleil a davantage de vertus.

Nous,
août 1975

Vive la fidélité libre!

Moi, je suis une femme fidèle. Aussi bien de la tête que des fesses. Vous direz que je n'ai pas de mérite puisque je suis amoureuse. Il est vrai que dans cet état je n'ai pas tellement envie de courir la galipotte. Je ne dis pas que je ne me tape pas un beau gars de temps en temps, mais l'aventure reste toujours à fleur de peau, superficielle, et elle ne réussit toujours qu'à me convaincre davantage, à mesure que j'avance en âge, que le sexe pour le sexe, si agréable cela soit-il, ne vaut pas la passion. Une fois passée la découverte du nouvel appareil, l'expérience se révèle, plus souvent qu'autrement, aussi monotone que la précédente.

Pourquoi d'ailleurs parler de découverte? Aujourd'hui, il n'est même plus nécessaire d'aller aussi loin: les hommes portent le pantalon si moulant qu'il n'est plus nécessaire d'y mettre la main pour savoir ce qu'ils... pensent.

Trêve de plaisanterie! La fidélité n'est pas un vain mot et je m'en voudrais de ne pas traiter le sujet avec tout le sérieux qu'il mérite.

J'ai un ami, très amoureux et très fidèle (donc jaloux), qui dit toujours à sa femme: «Si tu veux me tromper, vas-y. Mais chaque fois que tu coucheras avec un autre homme tu devras me présenter une belle fille qui couchera avec moi.»

Voilà une attitude qui me plaît assez. Et elle nous explique en peu de mots l'une des manières d'aborder la fidélité.

J'ai déjà dit la même chose à mon mari pour lui faire

comprendre que je pouvais toujours accepter, à la limite, qu'il couche avec une autre fille, mais que j'enrageais de coucher seule. Autrement dit, chaque fois qu'il couche avec quelqu'un d'autre il ne couche pas avec moi. Et s'il le fait à un moment où j'ai vraiment envie de faire l'amour, alors là je ne le prends pas.

C'est pourquoi je disais dans un précédent article qu'il vaut mieux, de temps en temps, coucher à trois plutôt que de découcher chacun de son côté. De cette façon, on ne s'enlève rien l'un à l'autre, on ne se trompe pas, on ne fait qu'ajouter un peu de glaçage sur le gâteau.

Certains diront que la fidélité n'a rien à voir avec le cul: «C'est dans la tête qu'on est fidèle ou pas, et on peut fort bien baiser ailleurs sans tomber dans l'infidélité.»

Ils n'ont pas tort de l'affirmer, mais ils n'ont pas non plus tout à fait raison.

Il est vrai qu'il existe une fidélité des sentiments qui n'a rien à voir avec la couchette. Il est également vrai qu'une présence intense, entrecoupée d'absences plus ou moins prolongées, vaut mieux qu'une présence quotidienne, mais distraite et superficielle. Il est vrai qu'on peut être «ailleurs» tout en étant «là». Et c'est sans doute la pire forme que puisse prendre l'infidélité.

On reste ensemble par habitude mais on se trompe allégrement tout en ne couchant jamais avec personne d'autre. L'affection, la tendresse, l'amitié sont ainsi évacuées au profit d'une routine insignifiante et stérile.

C'est pourquoi on ne soulignera jamais assez l'importance de cette «fidélité de la tête et de l'esprit».

Mais le sexe a aussi ses droits qu'on ne peut ignorer sans courir les plus grands risques. Permettez-moi d'être franche: si j'ai décidé de vivre avec un homme et qu'il a décidé d'en faire autant avec moi, je veux pouvoir m'en «servir» au maximum tout en lui rendant la pareille. Or, il n'y a rien que je déteste plus que de coucher avec un homme qu'on m'a vidé au préalable. D'abord, il n'a plus tellement envie de se tirer en l'air, et comme il a déjà joui deux ou trois fois, il ne lui reste souvent même plus de quoi coller un timbre. Et comme mon homme n'est pas Batman...

C'est donc dire que la fidélité «physique» a son importance. Les capacités sexuelles de chacun ont des limites que l'infidélité rend plus étroites encore. Contrairement au pétrole, le sperme est une richesse renouvelable, mais encore faut-il donner au moteur le temps de se recharger. Et les œufs ne font rien à l'affaire!

Bon, abordons un autre aspect de la fidélité. Je crois que les jeunes gens et les jeunes filles ne doivent pas trop s'embarquer dans le trip de la fidélité. Bien sûr, il peut arriver qu'à dix-sept ans on perde complètement la tête pour un beau gars et qu'on n'ait pas envie d'aller chercher ailleurs, mais habituellement, à cet âge, l'aventure ne dure pas très longtemps. Il faut quand même la vivre complètement si par hasard elle se présente. Cela en vaut la peine.

Mais, de façon générale, je pense qu'il vaut mieux pour les jeunes (garçons ou filles) de tenter de découvrir le genre de sexualité, d'amour et d'amitié qu'ils préfèrent. On peut aimer tel genre d'homme ou de femme; on peut avoir envie de partager une partie de sa vie avec un tel plutôt qu'avec tel autre; il faut pouvoir découvrir les éléments de la plus grande jouissance. Autrement dit, il faut essayer beaucoup de choses pour savoir ce qu'on aime vraiment. Je ne crois pas qu'il faille attendre d'avoir quarante ans pour partir à la découverte de soi-même. Il faut le faire quand on a dix-huit ou vingt ans.

En vieillissant on s'apercevra alors qu'on a éliminé tout le superflu pour ne garder que l'essentiel. Dans tous les domaines on sait ce qu'on veut et on va le chercher. C'est là que la fidélité prend toute sa signification;

fidélité à une idée ou à une cause que j'ai choisie par-dessus toutes les autres parce qu'elle m'apporte le maximum de plaisir; fidélité à un mode de vie que j'ai fini par privilégier parce qu'il correspondait le mieux à mon tempérament; fidélité à quelques amis que j'ai choisis parmi les plus enrichissants; fidélité à un homme qui comble la majorité de mes désirs sans que je sois obligée de sauter de l'un à l'autre parce que chacun d'eux ne comble qu'une petite partie de moi-même.

Pour ma part, je m'aperçois qu'en vieillissant je me fatigue vite de courir un tel pour sa conversation, un tel pour sa tendresse, un tel pour son sexe, un tel pour sa joie de vivre, un tel pour son amitié, un tel pour sa passion, un tel parce qu'il fait bien l'amour, un tel pour sa façon de me regarder le matin quand nous prenons le café, un tel parce qu'il fait un métier excitant, un tel pour la ville, un tel pour la campagne, un tel pour les moments heureux, un tel pour les moments de dépression, un tel parce qu'il embrasse bien, un tel qui soit brutal, un tel qui soit d'une grande douceur, un tel, un tel...

Ça fait vraiment beaucoup trop de monde dans ma vie et je préfère trouver tout cela dans le même homme. Le jour où j'ai su exactement le genre d'homme que je voulais, je suis allée le chercher. Et je l'aime de la tête aux pieds, en dedans comme en dehors. Il m'a trouvée de la même façon.

Nous ne sommes parfaits ni l'un ni l'autre. Et nous avons tous les deux envie, de temps en temps, d'aller chercher ailleurs le petit quelque chose que l'autre n'a pas. Mais nous nous en abstenons presque toujours parce que nous savons fort bien qu'il ne s'agit là que d'un tout petit plaisir passager, insignifiant, qui finalement ne réussit qu'à nous rendre indéfiniment insatiables. Nous n'avons pas envie de sacrifier la totalité du plaisir que nous avons à vivre ensemble pour essayer de trouver quelque petite jouissance illusoire et de courte durée. Comme disait quelqu'un: «Ça ne vaut pas la peine de perdre la tête pour un petit bout de queue.»

On ne peut donc être fidèle qu'à la totalité de quelqu'un. Il serait bien naïf de croire qu'on puisse être fidèle à un homme qui baise comme un dieu mais qui est invivable en dehors du lit, ou à un homme dont la conversation est brillante mais qui n'a pas le corps dont on a toujours rêvé. Ce genre de situation tue toute fidélité créatrice et transforme bientôt celle-ci en esclavage intolérable.

Or, la fidélité provient de la plus totale des libertés. Elle est un choix lucide et délibéré.

Ajoutons encore que la fidélité permet à deux personnes d'aller beaucoup plus loin ensemble que ne peut le permettre la frivolité. Cela vaut aussi bien pour la tête que pour le reste. Si je couche deux ou trois fois avec un homme et si je passe deux ou trois jours avec lui, il y a de fortes chances que je ne découvre jamais qui il est vraiment, quels sont ses qualités et ses défauts, et ce qu'il a vraiment dans la tête et dans le cœur. Je ne pourrai que rester à la surface de l'être. Oh, je pourrai bien y trouver du plaisir, mais ça ne vaut pas l'extraordinaire jouissance de creuser jusqu'au fond d'un homme pour savoir ce qu'il a dans le ventre. Si cet homme a de la valeur je n'atteindrai jamais le fond puisqu'il se renouvellera constamment, me réservant toutes les surprises, aussi bien agréables que désagréables. Un seul homme avec qui on passe quelques années réserve beaucoup plus de surprises que cinquante hommes avec qui on passe une nuit.

Que dire de la jouissance physique? Il faut bien que je couche plusieurs fois avec le même homme pour savoir exactement ses goûts et ses préférences, le petit mot ou le petit geste qui le fera bander comme un taureau, l'attitude qu'il me faudra avoir quand il aura plus envie de tendresse que de sexe, ma réaction quand il rentrera saoul et qu'il «s'endormira sur la job».

La «fidélité du cul» permet à deux personnes d'aller beaucoup plus loin dans la sexualité, d'en extraire toute la substance, d'en connaître tous les aspects, d'en inventer toutes les richesses à partir de ressources insondables.

Je sais pour ma part qu'après cinq ans de mariage, nous faisons l'amour, mon mari et moi, avec cent fois plus de plaisir que lorsque nous avons commencé. C'est inimaginable ce que nous nous sommes découvert de plaisirs chez l'un et chez l'autre. Cela ne peut se faire qu'à la suite d'une patiente recherche et de la découverte d'une intimité si grande qu'elle a réussi à faire sauter toutes les barrières — si ténues qu'elles aient pu être.

L'intimité! Ce merveilleux rejeton de la fidélité. Cette absence totale de pudeur ou d'hypocrisie! Cette merveilleuse envie d'être ensemble dans tous les gestes de la journée. On n'a pas besoin d'être intime pour faire l'amour, mais il faut l'être pour prendre un bain à deux.

Or l'intimité réelle ne se crée qu'avec le temps. Elle a besoin de s'épanouir en douceur. On ne la crée pas de toutes pièces en un instant.

Les frivoles, les courailleux, les don Juans ne connaissent jamais le plaisir de la véritable intimité. Ils sont toujours en dehors de quelque chose ou de quelqu'un; ils n'entrent jamais au fond des choses et des êtres.

La fidélité: merveilleux refuge. Elle apporte la sécurité affective dont nous avons tous tellement besoin. Il est là, il sera là, je ne suis pas seule, je ne serai pas seule. Et pourtant cette sécurité affective, cette présence constante doit aussi se nourrir de solitude. Il faut parfois s'écarter l'un de l'autre, par courts moments, pour se retrouver seule avec soi-même. Cela est nécessaire et faisable mais pour y arriver la fidélité est un préalable. Quand mon mari me dit qu'il a envie de partir seul pendant deux semaines, j'accepte avec joie ce court répit, pour lui et pour moi, parce que je le sais fidèle. Il ne craint pas de partir parce qu'il me sait également fidèle. Si nous ne l'étions pas, nous serions alors envahis par l'angoisse, déchirés par la jalousie, torturés à la pensée de nous perdre l'un ou l'autre dans quelque aventure irréversible.

Mais au contraire, parce que nous sommes fidèles, nous pouvons nous séparer en toute confiance, sans arrière-pensée, simplement pour le plaisir que nous avons à nous retrouver seuls, de temps en temps, chacun de son côté.

L'amour fait s'épanouir les fleurs mais la fidélité leur permet de porter des fruits.

On ne doit évidemment pas s'embarquer dans le trip de la fidélité si on n'est pas absolument sûr de soi-même. Et on doit toujours s'y adonner soi-même avant d'en exiger autant de l'autre: c'est la confiance en sa propre fidélité qui assure la fidélité de l'autre.

Quel merveilleux voyage la fidélité nous permet-elle de faire! Elle n'est pas à la portée de tout le monde et elle ne se joue pas avec n'importe qui n'importe quand. Elle est rare. Elle reste l'apanage de ceux qui ont envie d'aller très, très loin...

Elle va bien au-delà du désir; elle exige la passion.

Nous,
juillet 1975

Jamais trois sans deux

J'avais dix-neuf ans quand j'ai fait l'amour à trois pour la première fois. Ce ne fut pas l'expérience extraordinaire que j'attendais. Bien naïvement, je croyais alors — comme beaucoup le croient encore aujourd'hui — qu'il suffit de jeter ensemble dans un même lit trois personnes qui ont envie de baiser pour réussir la performance.

Ce ne fut pas désagréable, loin de là: nous étions «trois enfants du même âge», ou à peu près. Deux filles, un garçon. Ça s'est passé le plus simplement du monde. Suzanne était une copine que je connaissais depuis un an et avec qui j'allais draguer de temps en temps. Le garçon s'appelait François, je crois. Nous l'avions rencontré deux heures plus tôt au Parc Lafontaine, à Montréal. Nous en avions envie toutes les deux. Nous avons donc décidé de le partager. De son côté, il ne demandait pas mieux. Il en était lui-même à sa première expérience du genre et nous sentions bien que cela l'excitait au plus haut point.

Suzanne n'habitait pas loin: nous sommes allés chez elle. Nous étions tous les trois un peu tendus, mais deux ou trois gins et un joint nous plongèrent rapidement dans cette légère euphorie si propice aux rapprochements.

Contrairement à mon habitude, je vous fais grâce des détails de l'action. (Je dois vous avouer que les lettres de quelques lecteurs courroucés m'ont un peu effrayée.)

Je ne retiendrai donc que la conclusion de cette expérience: nous nous sommes retrouvés tous les trois au lit. François baisa d'abord Suzanne, puis il me baisa. Il fit donc deux fois l'amour à deux, mais d'amour à trois il ne fut jamais question.

Que s'était-il donc passé? Une petite chose toute simple qui se répète presque chaque fois que trois personnes décident de coucher ensemble: François avait envie de nous baiser toutes les deux. De ce côté, pas de problème. Mais moi, si j'avais envie de lui, je n'avais nullement l'intention de m'amuser avec Suzanne. Elle, de son côté, voulait bien se taper François, mais elle ne voulait rien savoir de moi.

Nous avons donc fait l'amour à deux plus un, mais pas à trois.

Ce n'est que deux ans plus tard que je connus vraiment ce que c'était que de faire l'amour à trois. Je connaissais depuis quelques mois celui qui allait devenir plus tard mon mari, Paul. Il m'avait avoué avoir eu quelques expériences homosexuelles auparavant, tout en admettant qu'il y avait trouvé du plaisir. Il préférait de beaucoup les femmes (et il les préfère encore, dieu merci!) mais, se disait-il, de temps à autre... pourquoi pas?

J'étais chez lui un soir quand quelqu'un frappa à la porte. Il ouvrit et se retrouva face à face avec un très beau gars d'une vingtaine d'années qui lui sauta au cou.

Il en fut à peine gêné. Juste assez cependant pour que je comprenne immédiatement ce qui se passait: il avait sûrement déjà couché avec ce gars-là. Il me le confirma aussitôt.

C'était la première fois que je me trouvais en pareille situation et j'avoue que je fus d'abord intimidée. Mais nous passâmes une soirée merveilleuse. Mario avait un charme fou et je me sentais de plus en plus excitée à mesure que l'heure avançait.

Nous vidâmes trois bouteilles de vin. Sans oser nous l'avouer ouvertement, nous savions déjà ce qui allait se passer. Et c'est ce qui se passa. Encore une fois, je vous fais grâce des détails pour en arriver immédiatement à la conclusion.

Nous avons vraiment fait *l'amour à trois.* Cette fois c'était vrai. Moi, j'avais vraiment envie de coucher aussi bien avec Mario qu'avec Paul. Paul avait terriblement envie de nous baiser tous les deux, Mario et moi. Et je mis fort peu de temps à m'apercevoir que Mario s'accommodait aussi bien de ma peau que de celle de Paul.

La nuit fut divine. Chacun d'entre nous avait envie de coucher avec les deux autres. Et c'est là que je compris toute la différence qu'il y avait entre *baiser à trois* et *baiser à deux plus un.* Je me suis aperçue depuis que c'était une expérience fort rare, et qu'elle peut difficilement être provoquée.

Car, soyons francs: que se passe-t-il d'habitude? La pire des choses. La plupart du temps, voici comment la situation se présente: un homme et une femme couchent ensemble régulièrement. L'homme, pour une raison ou pour une autre, a soudain envie de coucher avec une autre femme. Mais il ne veut pas «faire de peine» à sa bien-aimée. Il ne veut pas la tromper. Comment faire? Une seule solution: coucher à trois. La femme n'aime pas beaucoup l'idée mais elle accepte. Il vaut mieux coucher à trois, se dit-elle, que de coucher seule. Mais elle s'aperçoit vite que les deux autres couchent ensemble pendant qu'elle en est plus ou moins réduite au rôle de voyeuse. Son homme la trompe vraiment, et sous ses yeux en plus.

C'est une situation fort inconfortable pour tout le monde: deux personnes ont envie de coucher ensemble mais elles en sont empêchées par une troisième. La plupart des ménages à trois ne sont rien d'autre que cela.

Je ne soulignerai jamais assez que pour faire l'amour à trois, il faut absolument que chacun des partenaires ait envie des deux autres. C'est la seule façon d'en tirer un plaisir total. Autrement, une des trois personnes est plus ou moins laissée pour compte. Oh, elle peut bien tirer un certain plaisir à regarder les deux autres baiser tout en tentant timidement de s'immiscer dans l'action, mais elle n'aura jamais le vrai plaisir de la participation. Elle est tolérée, tout simplement.

D'autre part, il faut bien dire qu'il n'est nullement nécessaire d'être lesbienne ou homosexuel pour aller jusqu'au bout de l'amour à trois. Il suffit d'avoir l'esprit assez ouvert pour accepter de tirer son plaisir d'où qu'il vienne.

À ce propos, comment ne pas constater que le chauvinisme mâle fait ses ravages même à l'intérieur de ce triangle amoureux? Beaucoup d'hommes, en effet, acceptent facilement de coucher à trois — à condition toutefois de le faire avec deux femmes. Mais ils résistent à l'idée de coucher avec une femme et un homme. Deux femmes, un homme, merveilleux! Deux hommes, une femme, jamais! «Tu me prends pour une tapette!»

Les hommes trouvent parfaitement normal que deux femmes se caressent et s'embrassent. Ils n'en sont nullement scandalisés — bien au contraire, cela les excite. Mais ils ne peuvent pas accepter qu'une femme puisse avoir envie de voir deux hommes donner le même spectacle tout en y participant elle-même. Or, il faut absolument franchir cette barrière si on veut que l'amour à trois ait le même sens pour tout le monde.

Qu'on me comprenne bien: je ne dis pas que l'amour à trois est nécessaire ou indispensable. J'aurais plutôt tendance à affirmer le contraire. Je crois qu'il doit demeurer l'exception et qu'il ne doit être savouré que quand toutes les conditions s'y prêtent de façon parfaite.

Mais je dis pourtant que si on a envie de faire l'amour à trois il faut accepter les règles du jeu. Personne ne doit se sentir obligé de coucher avec deux partenaires à la fois. Mais quiconque y consent doit s'attendre à varier le menu. Il est souverainement injuste, en effet, de différencier, dans l'amour à trois, les rôles de l'homme et de la femme.

Pourquoi un homme aurait-il le droit de faire l'amour à deux femmes en même temps pendant qu'une femme n'aurait le droit de baiser ses deux hommes que l'un après l'autre?

Il faut autant d'égalité dans l'amour à trois que dans l'amour à deux. Mon mari et moi avons réussi à trouver ce périlleux équilibre. D'abord je le dis tout net: c'est à deux que nous faisons l'amour quatre-vingt-dix-neuf fois sur cent. Nous avons compris depuis longtemps qu'il vaut mieux aller très loin avec une autre personne que nulle part avec deux ou cent personnes. Nous ne faisons l'amour à trois que très rarement, et seulement quand la situation se présente sous un meilleur jour. Nous ne tentons jamais de la provoquer. Nous ne disons jamais: ce soir nous allons nous trouver un partenaire pour baiser à trois. Il faut que ça «adonne». Et nous nous assurons toujours d'abord que chacun a envie de coucher avec les deux autres, hommes ou femmes. Nous n'acceptons jamais de coucher à deux plus un.

Nous couchons tantôt avec une autre femme et tantôt avec un autre homme. Mon mari ne craint jamais que je parte avec l'autre partenaire et je ne crains jamais qu'il en fasse autant. Nous nous aimons et nous sommes heureux ensemble. Comme nous ne couchons jamais à deux plus un, nous ne sommes jamais jaloux l'un de l'autre lorsque nous couchons à trois.

Nous savons que nous restons profondément fidèles l'un à l'autre.

L'amour à trois ne nous a jamais donné l'envie de partager notre vie avec un troisième partenaire. Ce partenaire occasionnel nous a seulement permis de nous découvrir un peu mieux l'un l'autre. Il a pu servir de catalyseur, il a pu nous inspirer des attitudes que nous ne nous connaissions pas auparavant et qu'il nous fut permis ensuite de partager à deux.

Je ne crois pas au ménage à trois. S'il est possible de partager son plaisir avec deux autres personnes pendant quelques heures, je ne crois pas pour autant qu'il soit possible d'aimer deux personnes à la fois, et avec la même intensité, pendant une longue période de temps. Inévitablement, à très court terme, le ménage à trois finit en ménage à deux plus un. À partir de là, ce genre de ménage ne se nourrit plus que de la souffrance plus ou moins dissimulée de l'un des trois partenaires et de l'hypocrisie plus ou moins contrôlée des deux autres. À quoi bon?

Il faut prendre l'amour à trois pour ce qu'il est: un moment privilégié qui, s'il est bien vécu, permet d'aller plus loin à deux. Je crois que ceux qui veulent en faire un objectif risquent de se retrouver très rapidement en ménage avec eux-mêmes.

Car, quand on trouve son lit trop grand pour deux, on risque, plus souvent qu'autrement, de s'y retrouver seul.

Nous,
juin 1975

Langue

La langue, ça sert à quoi?

Je veux aujourd'hui revenir sur un sujet dont j'ai déjà traité mais auquel je voudrais ajouter quelques précisions: le langage parlé et écrit, support de tous les média. Plus précisément le français, tel qu'on le parle et qu'on l'écrit au Québec.

J'ai déjà dit tout le mal que je pensais — et je ne le soulignerai jamais assez — de la langue parlée par les animateurs de CHOM à Montréal, ce charabia prétendument à la mode, cette concoction infecte de français et d'anglais qui ne séduit que les imbéciles complètement partis depuis trois jours! Animateurs vulgaires, prétentieux, parfaitement «bilingues» — croient-ils —, ignorants des rudiments même du langage, méprisants pour tous ceux de leurs auditeurs les plus impénitents... ou masochistes.

Ils croient réinventer le langage, ils ne font que le massacrer. Ils croient donner un sens nouveau à certains mots, ils ne font qu'en ignorer le sens premier. Ils se croient compris, ils sont à peine écoutés. Ils se disent bilingues, ils ne savent même pas parler une seule langue. Je ne serais même pas méchant en affirmant qu'on n'a pas besoin d'une langue quand on a si peu à dire.

Je les cite en exemple parce qu'ils font des ravages, surtout chez les jeunes, mais on en trouve des milliers d'autres, au Québec, qui s'avancent dans leur sillage en proférant les pires insanités dans une langue le plus souvent incompréhensible.

Faisons d'abord une distinction entre le langage parlé et le langage écrit. En effet, si on peut accepter que le langage parlé manque d'une rigueur absolue, c'est qu'on peut toujours compter pouvoir rectifier quelque peu son tir dans le cours d'une conversation. Si la phrase manque de précision, l'interlocuteur aura tôt fait de demander une explication qu'on s'empressera de lui fournir en reformulant sa phrase ou en la nuançant de quelque épithète appropriée. Il n'en va pas de même dans le langage écrit: le texte est alors fini. On ne peut plus le changer, on ne peut plus qualifier tel ou tel mot, on ne peut plus revenir en arrière pour préciser tel ou tel passage. L'interlocuteur n'est pas là, devant soi, pour exiger qu'on lui explique le sens de telle ou telle phrase mal tournée. Le langage doit avoir alors une telle rigueur que le sens ne puisse en échapper au lecteur. Autrement, il faut bien avouer qu'on se fiche des gens ou qu'on n'écrit pas pour être compris.

De plus, le langage écrit permet de perfectionner l'expression en éliminant les redondances, les redites, les détails inutiles, les clichés, les phrases creuses, les imprécisions même de la pensée — ce en quoi il diffère profondément du langage parlé. *Le langage écrit est la tentative de communiquer avec plus de rigueur et plus de précision qu'avec le langage parlé.* Il exige donc plus de travail. On s'attend d'autre part à ce que l'auteur exprime sa personnalité par un *style* qui lui soit propre, ce qu'on ne saurait exiger de l'interlocuteur d'occasion.

C'est pourquoi il est faux de prétendre qu'on puisse ou qu'on doive écrire comme on parle. Pour être bien compris on doit écrire dans la meilleure langue possible. Cependant, on écrira les dialogues en langue parlée. Je ne reprocherai donc jamais à Michel Tremblay d'écrire une pièce de théâtre en joual — comment faire autrement? Mais je lui reprocherais amèrement d'écrire un roman en joual, comme je le reprocherais à quiconque parce que c'est un instrument trop pauvre non seulement pour exprimer des réalités quotidiennes, mais surtout pour exprimer une pensée, une abstraction.

Or, combien de nos écrivains, de nos penseurs, de nos journalistes, de nos professeurs croient pouvoir substituer les mots les uns aux autres sans en changer le sens?

Ils nous donnent comme raison qu'il faut faire sauter les conventions, qu'il faut constamment inventer le langage. Or, la langue n'est rien d'autre qu'une série de conventions. Si on les fait sauter toutes, il n'y a plus de compréhension possible. Pourquoi appelle-t-on un table une table et non pas une chaise? Affaire de convention. On aurait fort bien pu appeler chaise la table, mais on ne l'a pas fait. On a attribué au mot chaise une autre fonction. Et c'est parce que des millions de gens à travers le monde voient une table quand on dit le mot table — autrement dit c'est parce que des millions de gens ont accepté cette convention, ce «règlement» — qu'on se met tous à table pour manger et non pas «à chaise».

L'exemple est si puéril qu'on hésite à le donner. Et pourtant, tous nos amateurs de joual qui ne songeraient jamais à appeler chaise une table n'hésitent pas, aussitôt que nous entrons dans le domaine de la pensée et de l'abstraction, à nommer n'importe quoi n'importe comment. Ils acceptent les conventions pour nommer tout ce qui est matériel, tout ce qu'ils peuvent voir, mais il les rejettent quand il s'agit de nommer les choses de l'esprit. Pourquoi? Tout simplement parce qu'ils n'arrivent pas à définir avec précision les choses de l'esprit. Leur pensée est si vague, si floue et si dépourvue de signification qu'ils n'hésitent pas à en nommer de n'importe quelle façon le produit.

Je n'en veux qu'un exemple: un ami à moi, professeur de biophysique à l'Université de Sherbrooke, dut un jour «couler» un élève non pas parce qu'il ne connaissait pas la biophysique mais parce qu'il ne connaissait pas le français. Il avait écrit: «la cellule *imagine* telle ou telle chose». Or une cellule ne peut pas imaginer. L'élève avait donc commis une grave erreur scientifique tout simplement parce qu'il n'avait pas su utiliser le mot approprié. Dans un examen oral, il aurait sans doute eu l'occasion de «s'expliquer»; dans un examen écrit, il était calé.

On ne se comprend entre nous que par l'acceptation de milliers de conventions linguistiques qu'on ne saurait impunément jeter par-dessus bord. La rigueur et la précision dans l'expression sont intimement liées aux conventions.

On ne peut pas réinventer le langage chaque fois qu'on cherche à exprimer quelque chose de nouveau, comme on ne se sent nullement obligé de réinventer le piano chaque fois qu'on veut écrire autre chose que ce que Beethoven ou Mozart ont écrit. Ravel a composé autrement que Chopin mais, pour réinventer la musique, il n'a pas eu besoin de réinventer l'instrument. Il s'en est servi autrement, voilà tout. L'originalité de l'instrument ne fait pas l'originalité de la pensée, et c'est avec un bien vieil instrument, la langue française, que Valéry, Sartre, Genêt, Aragon ou Robbe-Grillet ont réinventé le monde. Ils ont dit les choses bien autrement que Molière ou Montaigne, ils l'ont fait dans un style qui leur était personnel et ils ont réussi à nous apporter quelque chose de nouveau. Mais si nous les comprenons, comme nous comprenons Molière ou Montaigne, c'est que tous ont accepté les mêmes conventions essentielles du langage, conventions imposées par l'usage à l'ensemble du monde francophone.

Oh, bien sûr, on peut forcer la langue, on peut la recourber dans tel ou tel sens pour lui donner une nouvelle vie, on peut même se permettre à l'occasion de la brutaliser quand elle ne répond pas à une certaine rage de l'expression, mais on ne peut pas impunément la violer sans lui faire perdre sa première utilité: *communiquer pour être compris.*

Et pour être compris par le plus de gens possible. Non seulement le joual est-il une langue incomplète, incapable d'abstraction, non seulement est-il l'expression du manque de rigueur et de la dégradation de la pensée, mais encore est-il la pire forme de séparatisme qui soit. Au moment où les Québécois accèdent à une certaine culture originale, il est extrêmement important de nous ouvrir au reste du monde, particulièrement au monde francophone. Or le joual est incompris en dehors de nos frontières et nous n'avons pas la force des Américains pour imposer notre «parlure». Qui plus est, il est intraduisible dans aucune autre langue. N'allons pas si loin: le joual écrit, parce qu'il ne répond à aucune norme et à aucune convention, est à peu près illisible. Je ne comprends pas comment on puisse le défendre et sous quel prétexte.

Le français serait la langue de la bourgeoisie et le joual la langue du peuple? Quelle farce! Je ne connais aucune œuvre révolutionnaire, qu'elle soit de Marx, de Che Guevara, de Mao ou de Jean-Jacques Rousseau, qui fut écrite en argot — de quelque origine qu'il fût. Les fusils peuvent être de la même marque et servir aussi bien les intérêts des révolutionnaires que des impérialistes. Faudra-t-il inventer un nouveau canon chaque fois qu'on voudra combattre les canons du pouvoir réactionnaire? Pour combattre efficacement il faut utiliser le meilleur fusil, un point c'est tout, eût-il été inventé par le fasciste le plus écœurant.

Pour se faire comprendre, il faut utiliser le meilleur langage possible, et le plus précis, fût-il celui de Claude Ryan.

Nos révolutionnaires sont si peu occupés à réformer la langue française qu'ils en oublient la révolution. Que n'acceptent-ils un peu plus les conventions qui régissent le langage pour mieux s'attacher à briser les conventions sociales dont ils sont les premières victimes. Que ne s'attaquent-ils à l'invention de l'esprit plutôt qu'à la reconstruction de l'instrument qui l'exprime. Que ne parlent-ils au lieu d'essayer de réinventer chaque mot.

Révolution! Quel beau mot! Mais il a fallu beaucoup de confusion dans la pensée des révolutionnaires pour qu'il soit complètement vidé de son sens — ou qu'il prenne toutes les significations imaginables. Ce n'est pourtant pas le mot qu'il faut changer; c'est la révolution elle-même.

Nous,
octobre 1975

Les langues créatrices

Des dizaines de langues, des centaines de dialectes. De quoi en perdre son latin!

Devant l'incompréhension généralisée, nous nous demandons parfois avec une certaine lassitude si le monde des langues n'a pas été créé par une espèce de sadique démoniaque dont le seul but aurait été d'isoler les gens les uns des autres dans l'espoir de les voir mieux se haïr et s'entre-tuer.

En effet, personne n'osera nier que les langues divisent. Et si l'on conçoit que, d'une part, elles créent les cultures et que, d'autre part, elles les reflètent, on dira que les cultures divisent.

Certains auront vite franchi naïvement le pas suivant: puisque les langues et les cultures divisent, abolissons-les toutes; fondons-les en une seule, pratique et universelle. Inventons vite une sorte d'espéranto qui nous permettra enfin de nous comprendre entre nous. Plus de confusion, plus de malentendus, plus de querelles, plus de guerres. Une seule langue et une seule culture pour l'ensemble du monde: voilà la solution.

Facile à dire! Ce serait faire bon marché de la géographie, des climats, de l'isolement relatif des peuples, des modes de vie qui déterminent les cultures comme les langues le font elles-mêmes.

Posons-nous la question suivante: la divison des langues et des cultures n'a-t-elle que des inconvénients ou ne peut-on pas lui trouver quelque avantage?

Pour ma part, j'en suis depuis longtemps venu à la conclusion que cette diversité n'est pas seulement avantageuse mais nécessaire. Tout dépend, évidemment, du point de vue où l'on se place.

Imaginons un monde unilingue et uniculturel, comme certains le souhaitent pour des raisons parfois peu recommandables. Nous nous comprendrions peut-être mieux entre nous mais qu'y aurait-il à comprendre? Que le monde est un, plat et sans saveur? Que l'univers ne peut plus être compris que d'une seule façon? Que la neige bien réelle des Inuit doit être imaginée de la même façon par les Sénégalais? Que le droit à la différence n'existe plus? Que le monde a commencé aujourd'hui et qu'il ne fut jamais autrement? Que l'histoire n'a jamais existé? Que les êtres humains, enfin, sont de parfaits imbéciles d'avoir tenu si longtemps à défendre des langues et des cultures inutiles? Nous nous comprendrions, bien sûr, mais pour nous dire quoi?

Imaginons un monde où tous les individus soient semblables. Tous bâtis sur le même modèle. Plus de beauté, plus de laideur, plus de grands ou de petits; finis les blonds et les châtains, disparus les infirmes et les Adonis; tous pourvus de la même intelligence et de la même sensibilité, tous capables d'aimer et de haïr de la même façon, tous pianistes et mécaniciens et architectes. Tous semblables les uns aux autres, à l'infini! À tort ou à raison, je préfère notre monde tel qu'il est et j'affirme en plus que la différence est nécessaire à la créativité, à la vie elle-même. C'est la somme des différences qui fait l'unité et non pas leur disparition.

Selon moi, il en va de même des cultures et des langues. L'homogénéisation stérilise. C'est la somme des cultures et des langues qui fait l'humanité.

Il faut être aveugle pour ne pas voir tout l'intérêt qu'il y a à ne pas nommer les choses de la même façon, à les nommer selon leur ordre et leur importance dans tel lieu géographique, dans tel milieu de vie; à les nommer autrement parce qu'elles ont des significations autres; à les nommer en nuances parce qu'elles varient, ne serait-ce qu'imperceptiblement.

Ce n'est pas pour rien que la traduction est si difficile; c'est souvent qu'elle est impossible. D'une langue et d'une culture à l'autre, il y a parfois des fossés si profonds qu'on imagine mal de pouvoir jamais les combler.

Et pourtant, n'est-ce pas là que se situe l'intérêt que nous éprouvons les uns pour les autres, individus ou collectivités?

On nous décrit toujours la barrière des langues comme étant la source de tous nos maux. Et si c'était exactement le contraire! Et si cette barrière n'existait que pour empêcher les plus gros de bouffer les plus petits? Les impérialismes ont existé de tout temps et ils sont, aujourd'hui, plus féroces que jamais. Or, n'est impérialiste que qui a la force de l'être. Les faibles sont «impérialisés», colonisés, écrasés. Ils n'ont plus souvent, pour se défendre et survivre, que la barrière de la langue.

Il est étrange et significatif de constater que les êtres humains y tiennent tant; qu'ils y tiennent plus qu'à leur maison, qu'à leur famille, voire qu'à leur liberté.

Les impérialistes de tout poil ne connaîtraient plus de frein si on n'érigeait devant eux, chaque fois qu'ils poussent leur avantage, cette maudite barrière de la langue contre laquelle ils ne peuvent rien. C'est souvent grâce à elle que des petits peuples, faibles et conquis par les barbares, ont résisté, puis survécu, puis se sont rassemblés, puis ont finalement foutu l'envahisseur à la porte. Les Ukrainiens, malgré toutes leurs difficultés, survivront à l'impérialisme russe parce qu'ils parlent ukrainien. Les Québécois, malgré toutes leurs difficultés, survivront à l'impérialisme américain parce qu'ils parlent français. Et si les Canadiens anglais sont menacés de disparition c'est bien parce qu'ils parlent la langue du plus fort.

C'est dans ce sens que je dis que la diversité des langues n'est pas seulement intéressante mais nécessaire.

Ce sont les impérialistes qui rêvent d'unification. Il est de notre devoir de les empêcher de réussir.

L'actualité,
juin 1979

Une simple question de passion et de plaisir

La langue? On en parle beaucoup. Si seulement on la parlait aussi bien qu'on en parle! J'imagine un proverbe: «C'est en en parlant qu'on finit par la parler.» J'invente un slogan: «Parlez-en souvent et parlez-la tout le temps.» Je me fais une devise: «Si j'en parle tant, c'est pour la mieux parler.»

Voilà un petit préambule en style baroque qui n'a d'autre but que de vous annoncer «une autre chronique sur la langue».

Elle sera obligatoirement différente des autres parce que je n'ai aucune compétence professionnelle pour discourir en la matière. En effet, je ne suis ni linguiste ni grammairien. Je n'ai que la passion. On a jugé, en haut lieu, que cela suffisait.

La passion et le plaisir!

Ce qui n'exclut pas la correction, bien sûr, puisqu'en cette matière, le plaisir procède souvent de la correction.

Si j'insiste sur cette notion de plaisir dans la langue parlée et écrite, c'est que j'en fais la condition première de son exercice.

Malheureusement, chez nous au Québec, à cause de conditions historiques difficiles, nous avons toujours associé l'exercice de la parole française à l'effort, à la bataille, au courage. Notre français, par la force des choses, est devenu langue de barricade plutôt que langue du quotidien, langue de souffrance et d'humiliation. Comment s'étonner alors qu'elle soit aujourd'hui vidée de sa joie première, perçue trop souvent comme un handicap plutôt qu'un avantage?

Si notre langue est restée primitive, c'est qu'elle n'a toujours servi qu'à exprimer des besoins primaires, les autres nous étant interdits.

Mais les conditions changent et notre état d'esprit doit en faire autant. Au moment où, dans notre société, le français devient enfin une langue utile et nécessaire, nous ne devons pas hésiter à nous plonger avec volupté dans cet océan de mots dont la richesse reste insondable et la vigueur insoupçonnée.

Le plaisir de parler et d'écrire peut être infini.

Il est d'abord plaisir de la connaissance. Connaissance de l'instrument d'abord, puis connaissance des êtres et des choses. C'est en les nommant qu'on les «reconnaît», c'est en les mariant qu'on leur donne une signification.

Plaisir aussi de la correction. Il est difficile de dire exactement ce qu'on pense ou ce qu'on ressent. Pour y arriver, il faut trouver le mot juste, la nuance exacte, distinguer l'accessoire de l'essentiel, réduire le propos à sa plus simple expression, élaguer, construire, rechercher la précision absolue. Ce n'est pas facile, mais quand on y arrive, la part de contentement que l'on éprouve est bien plus grande que la part d'effort qui nous y a conduits.

Plaisir du style. C'est Jean-Claude Germain qui a eu cette réflexion heureuse en parlant du style: «Chacun, disait-il, se taille, à même la langue parlée par tous, sa langue à soi, sa langue personnelle.» Cela est vrai. Une façon de parler ou d'écrire qui n'appartient qu'à soi; compréhensible par tous, mais ne devant sa richesse, sa force, sa précision, son originalité, qu'à cet individu tout-puissant qui s'approprie le monde pour le réinventer à sa façon.

Plaisir de la liberté. La parole libère parce qu'elle permet de lutter contre le pouvoir de la parole, contre l'institution qui se veut sourde et muette, contre le système qui s'approprie le droit de parler à notre place, contre soi-même enfin parce qu'elle permet à chacun de crier pour ne pas étouffer.

La somme de ces petits plaisirs finit par faire un grand plaisir à qui se les donne.

La parole est vaine pour les imbéciles. C'est pourquoi il ne faut pas leur en laisser le monopole. Il faut que l'intelligence parle mieux et plus haut que la stupidité, que le préjugé, que l'ignorance, que la bêtise.

Elle n'est pas que plaisir. C'est aussi une arme dangereuse qu'il faut savoir maîtriser pour ne pas se laisser maîtriser par ceux qui la maîtrisent.

C'est l'envie de parler que je voudrais vous donner.

L'actualité,
mai 1979

Mesdames et messieurs, parlez-vous le babel?

Toute langue, quelle qu'elle soit, est faite pour être comprise mais les incompétents et les prétentieux ont tout intérêt à ce qu'il en soit autrement. Ils s'inventent donc des jargons qui n'impressionnent que leurs semblables et qui laissent pantois et muets ceux qui consentent encore à les écouter.

Les jargons «spécialisés» sont devenus une véritable plaie, non seulement chez nous mais partout dans le monde. Ils sont la gangrène des langues. Ils sont, très souvent, le fruit de l'ignorance mais, plus souvent encore, le prolongement d'une imposture intellectuelle qu'on ne saurait trop dénoncer.

Je ne veux pas m'attaquer aux jargons populaires (l'argot par exemple) qui, dans la mesure où ils visent volontairement à rendre indéchiffrable un milieu par rapport à l'ensemble de la société, me semblent acceptables. Ils constituent, dans ce cas, un réflexe de défense normal tout en permettant aux «pratiquants» de se bâtir une aire d'appartenance restreinte et sécurisante.

Un détenu ne parle pas d'un congé mais d'un Code 26. Dans le monde interlope, la «gaffe» a nombre de significations dont les nuances ne sont perceptibles que par association. Dans le monde étudiant (et un peu beaucoup autour), une fille «gelée» n'est pas une fille qui a froid. Et si on trouve de la «neige» dans les discothèques en été, ce n'est pas parce que les saisons sont à l'envers.

Tous les milieux de vie ont leur jargon propre qui sert à mesurer le degré d'intégration de chacun. Volontairement fermés sur eux-mêmes, ces milieux ne cherchent aucunement à communiquer avec le reste du monde.

Mais comment expliquer la permanence des jargons chez ceux-là même qui font métier de communiquer et qui, partant, devraient rechercher la plus grande clarté?

Le médecin n'a-t-il pas intérêt à ce que son patient comprenne le diagnostic?

Le sociologue ne devrait-il pas pouvoir faire part de ses découvertes aux membres des sociétés qu'il étudie?

Le philosophe ne pourrait-il pas expliquer l'homme à l'homme?

Le scientifique ne devrait-il communiquer qu'avec d'autres scientifiques?

Le marxiste ne devrait-il pas se rapprocher des «masses» en employant un langage moins ésotérique?

Un exemple pour les sociologues: «Il s'agira donc de montrer que l'ensemble des discours appréhendés fonctionnent, malgré leur opposition, sur un système conceptuel homogène. Il s'agira ensuite de faire apparaître cette problématique comme réponse mystifiée/mystifiante à une question mal posée. On désignera donc le discours qui produit/parle de la notion de culture de masse comme une idéologie «unifiée intérieurement par sa problématique propre», qui éclaire/occulte le réel et en parle du point de vue de la classe dominante.» (in *La propagande inavouée*, Piemme.)

Un exemple pour les gauchistes: «Alors que le gouvernement attaque les étudiants et prépare de nouvelles attaques encore plus fascistes contre eux et que les vendus étudiants se sont totalement vendus, un impétueux mouvement de résistance se développe dans les centres d'éducation contre les politiques réactionnaires de l'administration, contre le rejet du fardeau de la crise sur le dos des étudiants et contre le contenu décadent et antiscientifique des cours. Des masses d'étudiants s'avancent pour résoudre les problèmes de leur mouvement de résistance... et entreprennent la reconstruction de leurs organisations de défense liquidées par les réactionnaires, les putschistes, les hitléro-trotskystes et les anarcho-fascistes à partir du cinquième congrès...» (in *UQAM en marche*, 14 fév. 1978.)

Et les autres? Tous les autres qui, parce qu'ils ne connaissent pas le français ou qu'ils ne savent pas de quoi ils parlent (parfois les deux à la fois) se complaisent dans le néologisme ou le barbarisme (le «bas-culotte», pour collant), la redondance (la culture cultivée), la circonlocution, la mode («J'trouve ça heavy d'être down. Si j'étais stone j'serais plus high.»), le mystère, la cheville vicieuse (au niveau de, à savoir), ceux-là, dis-je, ne devraient-ils pas de temps en temps prendre un dictionnaire pour y trouver le nom des choses déjà nommées au lieu d'en inventer un de leur cru, imprécis par surcroît? Ou encore s'astreindre à «traduire» leurs nobles pensées dans une langue simple et compréhensible? Ou encore tenter de ne pas compliquer inutilement des idées ou des concepts déjà complexes?

On *manipule* le langage pour masquer la vacuité de son raisonnement ou pour étaler un narcissisme pervers qui se donne des airs savants dans le but d'éblouir des profanes qu'on ne réussit qu'à tromper.

Il est certain qu'il faut parfois inventer des mots et je ne nie pas aux poètes le droit à toutes les licences, y compris celle qui ne s'affiche qu'au singulier.

Mais vouloir réinventer tout le langage pour exprimer une idée soi-disant nouvelle ne peut conduire qu'à rajouter des étages à une tour de Babel qui se perd déjà dans les nuages.

Le jargonnage est devenu un vice dans toutes les langues. Personne n'y échappe plus et le président Carter lui-même a institué, l'an dernier, une commission dont le seul objectif est de voir à simplifier la langue scientifique et la langue administrative. Tout simplement parce qu'il a constaté, comme beaucoup d'autres, que les gens ne se comprennent plus. Ce n'est pas parce qu'on est savant en telle ou telle matière qu'on connaît nécessairement sa langue.

Le plaisir de la langue ne réside pas que dans le contentement que peuvent procurer les sons. Le plaisir est dans l'entendement, la compréhension, la connaissance.

En vérité, le jargon est un déguisement. Quand on n'a rien à cacher...

L'actualité,
juin 1979

On est 180 millions, faut se comprendre!

On comprend mal, en certains milieux, la nécessité de parler et d'écrire un français international. Or, s'il en est ainsi, c'est qu'on ne sait pas qu'il existe divers niveaux de langage qui vont se rétrécissant de la base jusqu'au sommet, qui forment une sorte de pyramide dont le sommet, réduisant la langue à l'essentiel, permet la compréhension la plus large.

La base de la pyramide est formée de toutes les langues françaises communément utilisées pour la communication entre petits groupes, entre petites entités. Ce sont les langues plus ou moins particularisées qu'on parle dans les villages ou les régions. Elles sont toutes essentiellement françaises, bien sûr, mais il s'y ajoute un ensemble de traits singuliers, de régionalismes, voire d'accents qui les distinguent parfois assez substantiellement des langues des autres régions.

On ne parle pas exactement le même français à Montréal et au Lac-Saint-Jean. Il est des expressions venues du Lac-Saint-Jean qui sont incompréhensibles à Montréal et vice-versa. Le «à cause» saguenéen n'a pas le même sens à Montréal et le joual montréalais recèle souvent des mystères profonds pour les gens du Saguenay-Lac-Saint-Jean.

Mais on se comprend parfaitement à l'intérieur de chaque région. Si maintenant on compare le français des

Gaspésiens à celui de quelque région de la Haute-Volta en Afrique, on y trouvera des différences assez grandes pour rendre certaines conversations proprement incompréhensibles.

En Gaspésie, ils se comprennent entre eux. De même en Haute-Volta. C'est la base de la pyramide. C'est la langue que chaque région s'est taillée à même le français universel, en y retranchant un certain nombre d'éléments et en y ajoutant certains autres.

Pour se comprendre entre elles, les régions doivent «épurer» leurs langues. Autrement dit, elles doivent ou bien éviter de se servir de leurs régionalismes ou bien les expliquer si elles tiennent à s'en servir. Elles doivent se servir d'un standard plus étroit partagé par l'ensemble des régions concernées. Nous arrivons donc ainsi à un certain niveau de langage qu'on pourrait qualifier de national.

On aura donc le français québécois, le français sénégalais, le français haïtien, le français belge ou le français français. À ce niveau, il serait normal que tous les habitants d'un même pays se comprennent entre eux.

Nous arrivons maintenant au sommet de la pyramide. L'exercice consiste à faire en sorte que tous les peuples de langue française se comprennent entre eux. Il faudra donc bannir certains accents, plus difficiles à saisir que d'autres. L'accent montréalais, souvent source de confusion même entre Montréalais, devra sans doute se transformer. L'accent acadien, par contre, beaucoup plus universel, pourra être conservé.

Il faudra de plus sacrifier les mots et les expressions dont on ne se sert que dans un pays donné. Si on tient absolument à les utiliser, il faudra trouver le moyen de les expliquer. Il faudra en outre s'en tenir à la syntaxe la plus simple et la plus correcte. Il faudra, en somme, éviter de tenter d'imposer *son* français à tous les francophones du monde.

Au haut de la pyramide, c'est le standard le plus étroit qui commande. Je ne vois là nulle raison de crier à la contrainte ou à la censure. Le français, dans son standard universel, reste si complexe et si riche que bien peu de gens arrivent à le maîtriser. Ce n'est pas appauvrir la langue que de l'amputer de quelques milliers de mots et de quelques centaines d'expressions qui n'arrivent pas à passer la rampe internationale. Mais c'est l'enrichir que de faire partager par tous un standard universel.

Quelles conclusions pouvons-nous tirer de cette petite démonstration? La première est que nous risquons de nous enfermer dans le pire des séparatismes à vouloir à tout prix nous en tenir à la langue québécoise en tout temps et en tout lieu. Qu'on me comprenne bien, je ne renie pas le québécois correct et il est parfaitement normal que nous en faisions usage entre nous. Mais j'ajoute du même souffle que nous devons viser à abattre nos frontières linguistiques pour nous permettre de communiquer avec tous les francophones du monde.

Soyons réalistes: la France est plus puissante que le Québec ou qu'Haïti. Elle réussira donc à imposer à l'ensemble du monde francophone un certain nombre de ses «régionalismes» pendant que nous devrons souvent faire abstraction des nôtres. Ce n'est pas une raison pour nous replier sur nous-mêmes. Bien au contraire. Ne voit-on pas d'ailleurs, depuis quelques années, certains québécismes de bon aloi pénétrer le «marché» français?

Mais ce détail ne doit pas nous faire oublier l'essentiel: d'abord comprendre et être compris. Si nous voulons faire un cinéma, une télévision, une littérature exportables, nous devons les faire dans un français compréhensible par tous. Il n'y a pas de honte à adopter un standard universel chaque fois que cela est possible.

La deuxième conclusion est la suivante: il faudra

bien, un jour, que le monde entier adopte une *seule* langue seconde.

Si l'exemple de la pyramide vaut à l'intérieur d'une même langue, il vaut d'autant plus à l'extérieur de toutes les langues. Puisque c'est la compréhension que nous visons, nous ne devons pas craindre de tirer la conclusion qui s'impose. Le *vrai* standard international ne peut être que la langue parlée par tous les habitants et habitantes de la planète.

Je ne privilégie pas une langue sur une autre. On finira bien par s'entendre si on accepte d'abord le principe. Mais je crois que la nécessité grandit d'en arriver là.

Il faut conserver toutes les langues premières. Elles sont la condition même de la diversité et de la créativité culturelle.

Mais pourquoi pas une seule langue seconde, pour la commodité?

À ceux qui trouveraient que ma pyramide est une structure trop rigide, je ne fais qu'une réponse: vaut mieux la pyramide que la tour de Babel.

L'actualité,
août 1979

Un comme ça, un comme ça, pis un comme ça...

Tout n'est pas qu'affaire de vocabulaire, je le conçois bien. Mais il y a *aussi* le vocabulaire et, à trop l'ignorer, on finit par parler une langue imprécise, à la limite incompréhensible.

Je trouve que les jeunes Québécois utilisent un vocabulaire plus étendu que celui dont nous usions à leur âge. Mais nous avons encore, collectivement, un immense fossé à combler si nous voulons ne serait-ce que nommer correctement les objets les plus familiers et les réalités les plus quotidiennes.

La «chose» et «l'affaire» sont nos mots passe-partout. Nous les utilisons à l'envi pour nommer tout et n'importe quoi au lieu de chercher le mot juste. Résultat: nous n'en finissons plus de nous expliquer au lieu de nous comprendre.

J'ai été témoin dernièrement d'une petite scène parfaitement québécoise qui illustre bien mon propos.

J'attends au comptoir d'une quincaillerie quand une femme d'origine européenne s'approche pour demander un renseignement. «Avez-vous, dit-elle, du papier-peint autocollant?» Le commis, déjà excédé par l'accent de la dame et du haut de son ignorance arrogante, lui lance: «Quoi?» La pauvre femme se répète timidement.

Et le commis de répondre: «Vous voulez dire d'la tapisserie contaque? Est là!»

La femme s'en fut sans demander son reste. Et pourtant c'est elle qui avait raison.

Tout Québécois bien né me répondra: «Tout le monde dit de la tapisserie contaque, qu'est-ce que t'as à chiâler?»

Je «chiâle» pour une raison très simple: c'est que cette tapisserie n'est pas de la tapisserie et que ce «contact» est un anglicisme qui ne veut rien dire en français quand on l'applique au papier-peint.

Je veux bien qu'on ne parle pas français mais encore faut-il le savoir, et surtout ne pas avoir la prétention de faire la leçon à ceux qui s'expriment correctement.

Un autre exemple (et là je plaide l'ignorance comme tout le monde), la pâtisserie. Nous entrons dans une pâtisserie et nous nous retrouvons bouche bée devant le comptoir. Les mots nous manquent. Alors: «Une comme ça, une comme ça, une comme ça, non pas ça... ça, non... ça, pis une comme ça.»

Et pourtant toutes ces pâtisseries ont un nom précis que tous les enfants francophones du monde connaissent, tous sauf ceux du Québec.

Un pithiviers, un savarin, un mille-feuilles, un vacherin, une meringue, etc. Il y en a vraiment pour tous les goûts et ça rend la compréhension tellement plus facile.

Bien sûr, on ne peut pas tout apprendre à l'école et on n'est pas pour passer sa vie dans les dictionnaires. Mais pourquoi ne pas utiliser un truc? En France, chez tous les pâtissiers, les noms de toutes les pâtisseries sont affichés sur le plateau qui les présente. C'est donc dès son plus jeune âge que l'enfant apprend à les nommer. Il pourra dès lors les identifier facilement toute sa vie durant.

On pourrait faire la même chose dans les magasins de tissus, chez le boucher, chez le fleuriste ou chez le fromager. Ne mangeons-nous pas pendant des années le même fromage sans jamais en savoir le nom? Savons-nous de quel tissu notre costume est fabriqué? Bien sûr que non.

Toutes les plantes ne sont pas «c'te plante-là».

Toutes les viandes ne sont pas «c'te morceau-là».

Tous les ustensiles de cuisine ne sont pas «c't'affaire-là».

Toutes les choses ne sont pas des choses.

La «ceinture en arrière de ton manteau» est tout simplement une martingale.

La «plante que tu sais qui fait des fleurs rouges qui ressemblent à des boules» est probablement un géranium.

La «patente qui sert à faire d'la crème fouettée à la main» est, sans aucun doute, un fouet.

«L'affaire qu'on s'sert pour baisser et monter les lumières automatiquement» est très certainement un variateur.

Le «morceau d'viande, t'sais là, qu'est faite comme ça pis qui r'semble à une affaire comme ça» ne serait-il pas, par hasard, un aloyau?

Pas surprenant qu'on trouve que la phrase française est plus longue que la phrase anglaise! À force de circonlocutions, de répétitions, d'imprécisions, on l'allonge indéfiniment.

Il y a de la vanité dans notre refus de parler correctement («On est pas pour parler le français de France») mais il y a aussi une sorte de masochisme. Comment expliquer autrement le plaisir et l'acharnement que nous mettons à nous plonger dans les pires difficultés linguistiques, sous les plus fallacieux prétextes, au risque des pires incompréhensions, plutôt que de nous donner un instrument de communication simple et clair?

Nous sommes comme ce menuisier qui ne trouverait tout son plaisir que dans une scie mal affûtée. «Ma scie scie mal pis ça m'prend trois fois plus d'temps mais j'aime ça comme ça, moé.»

Le plaisir de la langue, c'est de pouvoir la parler sans effort. Or, quand on se refuse au départ l'effort de l'apprendre, on se condamne à parler avec effort toute sa vie.

Le mécanicien ou le plombier qui ne veut travailler qu'avec les meilleurs instruments est-il snob et prétentieux?

Il ne s'agit pas de se complaire dans la pratique de l'art pour l'art. La correction du langage est d'abord et avant tout affaire d'utilité.

L'actualité,
octobre 1979

Oui, la grammaire a un sexe...

Je ne comprends pas la réticence des hommes à appeler les femmes par leur nom. Tous les prétextes leur sont bons pour nier l'existence de cinquante-deux pour cent des cerveaux de l'humanité: la tradition, les complications inutiles, les règles de la linguistique, l'expression consacrée, la difficulté de féminiser certains mots ou certaines expressions.

On dira même que, puisque les choses ont toujours fonctionné de cette façon, elles peuvent bien continuer de le faire toujours. Pourquoi aujourd'hui? Pourquoi cet acharnement soudain des femmes à vouloir chambarder la langue?

Cela ne nous regarde même pas et il ne vaut pas la peine d'en discuter. Cela est.

Je n'ai pas encore entendu une raison valable qui puisse me convaincre qu'on ne doit pas dire «madame la Présidente» ou «madame la Première ministre d'Angleterre». La fonction exige le masculin? Foutaise. Il ne s'agit là que d'une habitude. Comme on a vu peu de femmes, jusqu'à maintenant, devenir premières ministres, on en a conclu que le masculin était de rigueur et devait le rester.

Mais les monarchies ont vu plusieurs femmes accéder au trône. Résultat: on parle de la reine d'Angleterre et personne ne songerait à la ridiculiser en la nommant Elizabeth, roi d'Angleterre.

Ça sonne mal? La belle affaire! Si l'expression sonne mal à nos trop tendres oreilles, c'est tout simplement que nous n'avons pas l'habitude de l'entendre. Utilisons-la systématiquement et nos enfants ne verront même pas la différence.

Dans le cas de «madame la Présidente», on a voulu nous faire croire qu'il y aurait dès lors confusion entre celle qui occupe le poste de présidente et la femme de tel ou tel président qu'on se plaît à nommer présidente. En vérité, cette dernière n'est présidente de rien et c'est notre vieux sexisme qui accorde à la femme la fonction de son mari. C'est là qu'on trouve la véritable confusion. Appelons-nous monsieur le Président le mari de la présidente d'une grande compagnie? Non, bien sûr. Alors pourquoi l'inverse?

Je l'affirme sans ambages: toutes ces résistances ne se fondent que sur des prétextes. Qu'il y ait quelque difficulté à «féminiser» certains mots ou certaines expressions, j'en conviens. Que fait-on de «médecin» par exemple? On ne peut pas utiliser «médecine» puisque ce mot a déjà un tout autre sens. Pourtant, la solution est fort simple: on dira tout simplement «une» médecin. Ça ne sonne pas féminin? Ça manque de e muet quelque part? Re-foutaise. On dit bien une maison, une chanson, une fureur, une constallation, une publicité, une éternité...

Comme on dit, au masculin, un apogée, un leurre, un navire, un automne, un délire.

Prétextes, vous dis-je!

Je ne vois vraiment pas pourquoi on ne dirait pas la médecin, la docteur (ou la docteure), l'ingénieure, la menuisier ou la menuisière, la plombier ou la plombière (comme on dit déjà la pâtissière ou l'infirmière), la coureur ou la coureure. (J'élimine volontairement coureuse pour les raisons que l'on sait!) On dit un enfant et une enfant, non?

Faudra-t-il toujours dire et écrire les étudiants et les étudiantes, tous et toutes, les hommes et les femmes, ceux et celles...? Devrons-nous renoncer à cette belle règle d'or qui veut que le masculin l'emporte sur le féminin? Eh bien oui.

C'est trop long? La belle raison! Disons-nous jamais, au lit, que ça dure trop longtemps?

Devrons-nous cesser de mettre les femmes entre parenthèses? Étudiants(tes), infirmiers(ères), chers(ères) amis(ies)... Encore une fois, oui. Cela relève au mieux d'une vilaine habitude et au pire d'un souverain mépris.

Que faire d'une phrase comme celle-ci?

«Les étudiants viendront tous rencontrer les infirmiers et ils parleront au médecin (une femme).»

Il faudra sans aucun doute dire et écrire: «Les étudiantes et les étudiants viendront tous et toutes rencontrer les infirmiers et les infirmières et ils parleront à la médecin.»

Je sais que c'est plus long et plus lourd; on n'a pas besoin de m'en convaincre. Je sais également que c'est plus court et moins encombrant d'oublier volontairement la moitié de l'humanité. C'est également immoral.

Certaines solutions seront difficiles à trouver mais on les trouvera. Par contre, la «féminisation» du langage est facile et faisable dans plus de quatre-vingt-quinze pour cent des cas. Il suffit d'en avoir la volonté. L'habitude aidant, on ne s'apercevra même pas qu'il en fut, jadis, autrement.

Je ne dis pas que l'habitude viendra facilement, bien au contraire. C'est pourquoi il nous faut accepter d'être repris quand nous commettons une faute.

Voilà, je viens d'en commettre une. Il m'aurait fallu dire «repris et reprises» mais, sur le coup, je n'y ai pas pensé. Car ce n'est pas un problème réservé aux hommes. Les femmes aussi ont pris, avec le temps, de mauvaises habitudes. Elles s'oublient presque aussi souvent que nous les oublions. L'effort doit donc être collectif si nous voulons aboutir à quelque résultat.

Je voudrais bien, par ailleurs, que les femmes arrêtent de s'en prendre à la langue française en la traitant de sexiste. La langue n'est qu'un instrument: elle n'est ni masculine, ni féminine, ni neutre, et surtout pas sexiste. Les hommes peuvent l'être, pas la langue. Cela est fondamental car si on ne le comprend pas, on risque d'attaquer le problème par le mauvais bout. C'est la mentalité des hommes qu'il faut changer si on veut changer la mentalité de la langue. En accusant la langue, on se trompe de cible et on risque de ne la changer que superficiellement.

C'est quand les hommes auront compris que les femmes ont aussi des cerveaux et qu'elles peuvent, elles aussi, être fabricatrices de langue, qu'ils cesseront de résister aux exigences les plus normales des femmes. C'est à partir de ce moment seulement que la langue française se donnera toute la féminité qui lui convient.

L'actualité,
novembre 1979

Enfin la loi 101!

Le 3 juillet 1978 restera sans aucun doute une date mémorable dans le champ québécois des communications. C'est ce jour-là, en effet, qu'entrait en vigueur le règlement de la Loi 101 concernant l'affichage en public, règlement qui vise à donner au Québec un visage français.

En apparence anodin, ce règlement n'en est pas moins révolutionnaire en ce sens qu'il transforme brutalement le quotidien de millions de citoyens. C'est dans le quotidien que s'aliène un peuple, dans l'insidieux quotidien contre lequel la riposte n'a pas de prise tant il est divers, insaisissable, apparemment insignifiant.

On aurait l'air ridicule de se lancer dans de grandes manifestations pour faire monter les ascenceurs en français ou pour faire couler l'eau du bain dans la langue de Molière. Et puis on finit par savoir que l'eau chaude sort par le robinet de gauche et l'eau froide par celui de droite. Alors qu'importe, se dit-on, qu'on ne daigne pas remplacer les H (Hot) et C (Cold) par les C (Chaud) et F (Froid) d'usage courant dans les pays de langue française.

Mais on ne soulignera jamais assez l'importance de ces détails qui, finalement, font et défont la vie des hommes plus sûrement que les scandales les plus éclatants. On se bat facilement contre l'insulte la plus outrageante, mais on n'a pas de prise sur la petite bête noire qui poursuit son travail de sape dans l'indifférence générale.

Le recours à la loi, dans ce cas, s'imposait depuis longtemps. Moins d'un mois plus tard, on en voit déjà les remarquables résultats.

Ils ne sont nulle part plus évidents que dans les grands magasins de Montréal. *La Baie* remporte la palme haut la main. On sait les efforts considérables qu'a déployés, depuis quelques années, la direction de ce magasin pour servir plus adéquatement sa clientèle de langue française. Parallèlement, elle augmentait la qualité de ses services jusqu'à faire de *La Baie* le meilleur des grands magasins de Montréal. Les résultats ne se firent pas attendre: les francophones qui, autrefois, évitaient ce bastion anglo-saxon, s'y précipitent maintenant en masse. Le 3 juillet dernier, conformément à la loi, *La Baie* se francisait de fond en comble, d'un seul coup, sans hésitation aucune. Il y a là une élégance qu'on se doit de souligner.

Eaton suit de près, mais hésite à y mettre le paquet. On sent qu'on y procède par étapes, mais le processus est en marche et la bonne volonté ne semble pas manquer. Ce sera fait d'ici quelques semaines.

Simpson hésite; on a francisé ce qu'il y avait de plus apparent, mais on ne semble pas avoir, en ce domaine, une politique aussi cohérente qu'à *La Baie* ou chez *Eaton*. Ce qui est plus grave, c'est qu'on francise par obligation mais sans aucune conviction — c'est-à-dire n'importe comment. Comment expliquer autrement cette affiche qu'on pouvait contempler récemment dans toutes les vitrines du magasin pour annoncer un «événement de fourrure et manteaux» (sic)? Comme ce n'est même pas une mauvaise traduction de l'anglais, on se demande bien quel zoulou a pu pondre pareille horreur!

Ogilvy a fait sauter l'apostrophe et le *s* (formule anglaise) de son nom. C'est un début, mais dans cette forteresse de la bourgeoisie westmountaise, on avance à pas de tortue. On sait que les francophones fréquentent peu ce magasin ennuyeux; c'est sans doute pourquoi on se fait tirer l'oreille.

Quoi qu'il en soit, le mouvement semble engagé de façon irréversible et on ne peut que se réjouir de constater que ce sont les «gros» qui donnent le ton. Les «petits» n'auront bientôt plus qu'à emboîter le pas.

Dans quelques années tout cela sera devenu normal et les générations futures se demanderont comment il pouvait se faire qu'il en fût autrement.

Cela étant dit — et fait —, on devrait pouvoir exiger de nos média d'information et de publicité qu'ils fassent l'effort nécessaire pour servir les Québécois dans un français convenable.

Il y a un tel relâchement de ce côté qu'on se demande parfois si la Loi 101 n'aura servi, finalement, qu'à protéger une sorte de sabir quasi indéfinissable.

Il est certain que le bilinguisme imposé aura contribué à la dégénérescence de la langue française au Québec mais, une fois cette cause disparue, aurons-nous le courage de regarder les choses en face et de reprendre tout le travail à la base?

Les stations de radio et de télévision nous servent à longueur de journée un charabia proprement révoltant. Personne, en haut lieu, ne semble s'en offusquer, pas même à Radio-Canada où on nous avait habitués à plus de décence.

C'est surtout chez les jeunes reporters qui passent de l'écrit à la parole que le mal est le plus évident. Il faudrait les dénoncer presque tous tant sont rares les exceptions.

On peut légiférer sur la quantité du français, mais aucune loi ne peut en améliorer la qualité. C'est d'abord et avant tout affaire d'effort personnel, bien sûr, mais les responsables de l'embauche ont aussi à porter une part de cette responsabilité.

Pourquoi engage-t-on des journalistes qui ne savent ni parler ni écrire le français? En cette matière, on semble avoir si peu d'exigences que n'importe qui peut s'improviser grand reporter du moment qu'il arrive à baragouiner n'importe quoi n'importe comment.

C'est bien beau d'avoir des exigences envers les autres. C'est bien beau de vouloir forcer les Anglais à parler notre langue. Mais peut-être ne serait-il pas entièrement inutile de nous écouter et de nous lire les uns les autres pour constater à quel point nous défaillons nous-mêmes.

Désormais, les Anglais seront forcés de parler français au Québec. Quand donc accepterons-nous d'être forcés d'en faire autant?

Il serait quand même ironique de constater dans vingt ans qu'au Québec tout le monde parle français sauf les Franco-Québécois qui, ayant un jour décidé de continuer à jargonner de plus belle, ne se comprennent plus qu'entre eux... et encore!

J'aimerais bien qu'on comprenne que la Loi 101, avant de s'appliquer aux groupes minoritaires du Québec, s'applique d'abord à cette vaste majorité de Québécois qui ont encore la prétention de parler français.

En effet, il est à craindre que si nous ne faisons pas cet effort, nous aurons bientôt toute la peine du monde à comprendre les panneaux-réclame unilingues français qui commencent à se dresser dans notre paysage.

Ce serait, ne trouvez-vous pas, ridicule, au moment même où Montréal commence à vraiment ressembler à la deuxième ville française du monde!

Nous,
octobre 1978

Communication

L'objectivité

Je prétends qu'on peut dire du bien d'un ami ou d'un allié et dire du mal d'un adversaire ou d'un ennemi tout en restant parfaitement objectif. Autrement dit, l'objectivité ne consiste pas à toujours dénoncer ses amis, pour mieux applaudir ses adversaires.

Parlons d'objectivité. Au moment où M. Bourassa accuse certains média d'entreprendre une campagne de salissage à son endroit, il est sans doute nécessaire de lui rappeler, comme à d'autres, quelques-uns des principes fondamentaux qui fondent la crédibilité des journalistes honnêtes.

Je sais que l'objectivité n'est pas une chose facile à définir et une discussion sur le sujet entre journalistes *honnêtes* (c'est à dessein que je souligne ce mot) produira toujours une avalanche d'opinions qui, sans se contredire, élargissent pourtant démesurément l'éventail des conclusions.

Il faut d'abord parler d'honnêteté, car elle est à l'objectivité ce que la parole est à l'orateur: essentielle mais personnelle. Par là, j'entends que si elle qualifie l'objectivité elle n'en reste pas moins difficilement mesurable si on tente de la quantifier. On n'est pas plus ou moins honnête: on l'est ou on ne l'est pas, tout comme on ne peut pas parler et se taire à la fois. On peut dire beaucoup de choses en peu ou en beaucoup de mots et être aussi éloquent dans un cas que dans l'autre tout comme on peut faire étalage ou non de son honnêteté tout en le restant profondément.

En somme, la façon qu'a quiconque de se montrer honnête reste essentiellement personnelle.

C'est pourquoi je dis tout de suite que ce qu'on appelle «neutralité» n'a rien à voir avec l'objectivité puisqu'on est toujours profondément malhonnête en exhibant sa prétendue neutralité. On peut, bien sûr, se situer en dehors d'un débat, et c'est être honnête que de l'avouer mais au moment même où on le commente ou qu'on s'y implique, l'objectivité ne peut pas consister à renvoyer tout le monde dos à dos en tentant de se laver l'esprit de toute opinion, tout en prétextant la *neutralité* car le faire c'est encore choisir. Or, le choix n'est jamais neutre. On peut tirer une conclusion tout en restant objectif.

L'objectivité ne peut donc pas être l'absence d'opinion sur un sujet donné puisque marquer de l'indifférence c'est déjà émettre une opinion qualitative.

L'objectivité consiste essentiellement à décrire une situation ou une personne ou une pensée à partir d'un cadre de référence donné et perçu pour ce qu'il est. Une analyse n'est jamais complète et on ne doit jamais en faire un critère d'objectivité. Tout observateur privilégie tel ou tel aspect d'une situation selon qu'il y est plus sensible (la guerre est un massacre ou c'est un bon moteur économique); selon son point d'observation (l'armée alliée, l'armée ennemie ou le soldat isolé); selon sa nature (belliqueuse ou paisible); selon sa formation et ses préjugés (pour ou contre la guerre); selon le sujet qu'il a à traiter (les armes, la souffrance, la stratégie, etc.); selon son talent d'observateur (certains regardent alors que d'autres voient).

L'observation incomplète et personnelle d'une situation, si elle reste aussi honnête que possible, peut être objective à condition de ne pas prétendre qu'elle soit autre chose que personnelle et incomplète.

Par ailleurs, l'observateur n'est jamais abstrait. Même inconscient, il participe toujours d'une idéologie plutôt que d'une autre. Avant d'observer, il a fait des choix. L'être le plus apolitique ou le plus aculturel qui soit n'en reste pas moins un homme qui choisit tous les jours d'être et de penser de telle ou telle façon, pour telle ou telle raison. C'est pourquoi un fédéraliste et un indépendantiste peuvent arriver à des conclusions différentes tout en restant parfaitement objectifs tous les deux.

Prenons des exemples concrets. Je pense que le magazine *Time* est un magazine objectif. Or, *Time* n'est pas neutre: c'est un magazine américain et capitaliste. À partir de ce choix, auquel on peut arriver objectivement (même quand on se trompe), *Time* rapporte des faits, décrit des situations et prend position. Son cadre de référence est clair et personne n'en fait mystère. Il faut donc lire *Time* selon ce cadre de référence si on veut avoir une information juste. Si on sait par exemple que le capitalisme fait fi de la lutte des classes, on ne cherchera pas dans *Time* la promotion de la révolution prolétarienne. On trouvera dans *Time* ce que *Time* y met et rien d'autre, c'est-à-dire l'analyse d'une situation à partir d'un choix capitaliste. C'est pourquoi il est si important pour le lecteur de connaître le cadre de référence de celui qui écrit, sans quoi il sera tenté de voir un manque d'objectivité là où il n'y a que la description honnête d'une réalité perçue à travers l'objectif nécessairement déformant de l'observateur libre et indépendant de tout *sauf de lui-même. On peut être plus ou moins indépendant de tout sauf de soi-même.*

Voilà ce qu'il est important de comprendre: on ne peut regarder qu'à partir de soi-même. Celui qu'on appelle «observateur impartial» n'existe pas. Et on peut arriver à des conclusions *partiales* à partir de critères objectifs.

Quand on voit et qu'on rapporte ce qui n'est pas, on est malhonnête. Mais quand on voit ce que quelqu'un d'autre voit différemment ou pas du tout, on peut rester objectif, et cela jusque dans la caricature.

Je travaille moi-même des deux côtés de la barricade, et je suis, je crois, assez bien placé pour juger. Il m'arrive assez souvent de n'être pas satisfait de la façon dont on rapporte mes paroles. La plupart du temps, il ne s'agit pas, de la part du journaliste, de manque d'objectivité ou de malhonnêteté. Il peut arriver que je me sois mal exprimé moi-même. Il peut arriver que le journaliste ait mal compris. Il peut encore arriver que dans la bousculade des heures de tombée, le journaliste n'ait pas eu le temps d'écrire avec toute la rigueur qu'on aurait pu souhaiter. Il peut arriver que le journaliste manque tout simplement d'expérience.

C'est pourquoi je dis que la plupart des journalistes sont honnêtes. S'ils manquent souvent de perspective, ce n'est pas qu'ils soient malhonnêtes, c'est tout simplement qu'ils sont incompétents. Et cela c'est une toute autre histoire.

Un journaliste peut être engagé jusqu'au cou et rester objectif. J'aime bien la définition de l'objectivité que donnait récemment l'un d'entre eux: «Être objectif, disait-il, c'est pouvoir se ranger tantôt d'un côté, tantôt de l'autre.» Cette attitude nous éloigne de la prétendue neutralité de certains. On peut objectivement donner raison à quelqu'un quand les faits nous incitent à le faire sans perdre pour autant son sens de l'objectivité.

Si je dis, par exemple, que Louis-Philippe Lacroix est un parfait imbécile, je prends parti, bien sûr, mais je crois rester objectif puisque les faits me donnent raison tous les jours. Tout au plus peut-on me chicaner sur l'emploi du mot «parfait» en me rappelant que personne ne l'est vraiment.

Certains concluront que l'objectivité, finalement, n'existe pas. Ne vaudrait-il pas mieux parler de subjectivité honnête?

Nous,
mai 1975

Média et opinion publique

Depuis le quinze novembre dernier, les Québécois s'adonnent avec une sorte de fureur à une drogue extrêmement puissante qui les exalte, les anesthésie et va parfois jusqu'à leur faire perdre la mémoire: *la parole.* Et plus singulièrement, la parole véhiculée par les média. Il ne nous reste plus qu'à espérer qu'ils ne soient pas tous terrassés par une overdose de parlotte!

Ce qui m'inquiète par-dessus tout dans cette affaire, c'est que nous ne parlons plus que de nous-mêmes. Nous semblons avoir complètement oublié que le monde continue de tourner et que le Québec n'est pas soudain devenu une sorte de vaisseau spatial lancé sur orbite terrestre et voguant vers l'infini (sans cesser de tourner en rond), indifférent à tous les grenouillages dont il croit s'être abstrait en se projetant dans l'Histoire le soir du quinze novembre.

Mais ce propos est trop politique pour que je m'y laisse entraîner aujourd'hui. Il me permet simplement de souligner la fringale apparemment insatiable des Québécois en matière d'information — et l'enthousiasme que mettent les média à la nourrir.

Cela dit, il me semble opportun de réfléchir un peu sur l'influence des média dans la formation de l'opinion publique. Il est sans doute trop facile de les accuser de tous les maux, mais il faudrait être naïf pour les parer de toutes les vertus.

La première question qu'on peut se poser est la

suivante: les média ont-ils, oui ou non, une influence significative sur le comportement des électeurs le jour du scrutin?

Certains les ont accusés dernièrement d'avoir, presque à eux seuls, porté le Parti Québécois au pouvoir.

Qu'on me permette d'en douter. On ne fabrique pas une opinion publique en trente jours. Et l'image de tel ou tel parti que peuvent véhiculer les média d'information, si favorable soit-elle, n'est toujours que la transparence d'une réalité plus profonde qu'on peut avoir mis des années à bâtir. Autant il me semble vrai que les média puissent contribuer à transformer cette réalité au fil des mois et des ans, autant il me semblerait faux d'affirmer qu'ils puissent la changer d'un seul coup.

Selon moi, il existe une logique historique qui transcende, et de loin, les velléités temporaires des média.

L'élection du 15 novembre n'est pas un mystère pour l'observateur averti. Tout le monde admet aujourd'hui que l'élection de 1973 relève du cas d'espèce et qu'elle constitue beaucoup plus un accident de parcours (partant, déformant de la réalité) qu'une véritable projection de la volonté populaire.

Or, que se passe-t-il depuis 1960? L'Union Nationale suit une courbe descendante. Malgré sa victoire en 1966, le pourcentage des votes accordés à cette formation n'a fait que diminuer. Et les média ont eu beau parler cette année d'une remontée spectaculaire de ce parti, cette remontée n'a pas eu lieu, l'Union Nationale ayant obtenu un pourcentage des votes moins élevé qu'en 1970.

La formation créditiste, pour sa part, après avoir connu un sommet au début des années soixante, n'a fait que glisser un peu plus chaque jour vers le néant.

De son côté, le Parti Libéral, beaucoup plus solidement implanté dans toutes les régions du Québec, a su se maintenir à peu près au même niveau depuis dix ans, bien que devant s'appuyer sur le vote massif des Anglais pour ne pas connaître le même sort que l'Union Nationale.

De tous les partis, seul le Parti Québécois a connu une ascension continue depuis quinze ans à partir de la formation des mouvements indépendantistes en passant par la participation du RIN et du RN aux élections de 1966. Neuf pour cent en 1966, vingt-trois pour cent en 1970, trente pour cent en 1973, quarante pour cent en 1976.

Ajoutons à cela le jeu souvent erratique de la carte électorale et on s'aperçoit rapidement que le mystère n'est pas si grand qu'on l'imagine.

Ce sont là des courants historiques profonds qui ne peuvent être que très faiblement influencés par l'apport des média au cours d'une courte campagne électorale.

Que les média aient eu un rôle à jouer dans la lente transformation des esprits, je ne le nie aucunement. Je dis simplement qu'ils ne sauraient renverser en quelques jours les tendances fondamentales de l'opinion publique.

Qu'en est-il maintenant de «l'image» que projettent les média des différentes formations politiques — et surtout de leurs chefs?

On a encore dit qu'ils avaient projeté, lors des dernières élections, une image négative de Robert Bourassa et une image positive de René Lévesque.

C'est vrai. Mais comment pouvait-il en être autrement? Robert Bourassa était négatif et René Lévesque était positif. C'est aussi simple que cela. Et les gens réagissaient positivement à René Lévesque et négativement à Robert Bourassa. Les média n'ont fait que refléter cette réalité en l'amplifiant. J'irai plus loin en disant que si les média avaient voulu, pour une raison ou pour une autre, intervertir les rôles en présentant M. Lévesque sous son plus mauvais jour et M. Bourassa sous son meilleur, les résultats du 15 novembre seraient restés les mêmes tant il est vrai que, contrairement à ce que certains imaginent, les gens sont beaucoup moins folichons qu'on le pense et qu'ils ne tournent pas au gré du vent comme des girouettes. S'ils ont à changer, ils le font lentement, et ce n'est pas un discours ou une parade de dernière minute, fussent-ils orchestrés par tous les média, qui va leur tourner la tête.

Il y a toujours les indécis, me direz-vous. Mais on se trompe encore quand on dit qu'ils sont aussi indécis qu'ils le disent. Au moment du déclenchement d'une élection ils ont déjà une petite idée derrière la tête. Ils penchent déjà d'un côté même quand ils le nient effrontément.

Faisons une analogie un peu scabreuse: certains se disent bissexuels et prétendent coucher avec autant de plaisir avec les hommes qu'avec les femmes. Or, dans la plupart des cas, c'est faux. On pourrait classer ces gens parmi les indécis, mais on se tromperait: ils sont presque tous homosexuels mais n'osent pas se l'avouer à eux-mêmes. Et, avant même d'entrer dans un bar pour y draguer, ils ont déjà une petite idée derrière la tête.

Poussons l'analogie encore plus loin: beaucoup d'hétérosexuels couchent avec des hommes de temps en temps, mais ils ne sont pas — et ne seraient jamais — homosexuels. De même beaucoup d'homosexuels couchent avec des femmes de temps en temps sans pour autant concéder à Vénus les charmes d'Apollon.

Ainsi, le bleu qui vote rouge une fois n'en reste pas moins bleu et le péquiste qui, pour une raison ou pour une autre, vote libéral dans une élection particulière, reviendra à ses premières amours à la première occasion.

Je le répète, et c'est ainsi que je conclus: les média prolongent, éclairent et fortifient l'opinion publique, mais ils ne peuvent en aucun cas la fabriquer de toute pièce.

Nous,
février 1977

L'information en capsules

Ce qu'on peut se méprendre sur la vérité de l'information! Que d'erreurs commises par paresse ou inconscience! Que de demi-vérités plus mensongères que le mensonge lui-même!

J'écoute un bulletin de nouvelles; j'entends: «Cuba est sur un pied d'alerte à la suite des mouvements de navires américains à proximité de ses côtes.»

Voilà la nouvelle en capsule. Et on passe à autre chose.

J'aurais pu m'inquiéter, me demander comment le vent allait tourner de ce côté-là, voire même imaginer la naissance d'un grave conflit.

Mais, dieu merci! j'avais, une heure plus tôt, entendu la nouvelle au complet à la même station. Elle nous apprenait que les États-Unis avaient fait savoir à Cuba qu'il ne s'agissait que d'exercices conjoints Grande-Bretagne-U.S.A. et qu'il n'y avait pas lieu de craindre quoi que ce soit.

Mais j'aurais très bien pu ne pas entendre le bulletin de nouvelles précédent et croire que la paix mondiale était menacée.

Cela se passait à la radio de Radio-Canada, qui pourtant fait des efforts considérables pour améliorer ses services d'information — avec succès, faut-il le dire.

Mais cette pratique du résumé de nouvelles nuit à l'ensemble de l'entreprise. Je ne voudrais pas m'en prendre qu'à Radio-Canada. Les stations de radio privées sont bien plus coupables que ne l'est la société d'État.

Il y aurait pourtant moyen de faire autrement. Il est en effet possible de résumer une nouvelle en en retenant l'essentiel. Mais pour ce faire on ne doit pas se contenter de la couper en deux ou en trois: il faut la refaire entièrement. Malheureusement, on ne semble pas vouloir s'en donner la peine. On se dit sans doute qu'un petit morceau d'information vaut plus que pas d'information du tout. Mais je crois qu'on a tort, car c'est là la meilleure façon d'induire les gens en erreur.

C'est aussi une bonne manière de «fragmenter» l'information, de la morceler, de l'atomiser, jusqu'à ce qu'elle perde tout son sens.

C'est de cela que certains veulent parler lorsqu'ils se plaignent que l'information est souvent mensongère. Elle est mensongère parce que sortie de son contexte, mal éclairée, tronquée ou tout simplement réduite à néant.

Il arrive qu'on ne puisse faire autrement lorsque, par exemple, l'information n'entre que par bribes et qu'il faille attendre la suite des événements pour se faire une bonne idée de la situation.

Mais dans le cas qui nous occupe, la chose est impardonnable puisqu'on connaissait déjà tous les détails de l'histoire.

L'information brute, comme on aime l'appeler, doit être exempte de commentaire ou d'analyse.

Mais ce n'est pas commenter ou analyser que de placer l'information dans un contexte plus large pour la faire percevoir plus justement par celui qui l'entend ou qui la lit.

Quand les troupes syriennes bombardent les quartiers chrétiens de Beyrouth, il n'est pas indifférent de savoir si elles prennent l'initiative ou si elles ripostent à quelque provocation.

De même, il n'est pas suffisant d'annoncer la mort de tel ou tel personnage public. Il faut savoir s'il est mort de mort naturelle, s'il s'est suicidé ou s'il a été assassiné — et par qui, et pourquoi.

Autrement, on n'arrive plus à comprendre ce qui se passe dans le monde.

Or, la nouvelle en capsule est responsable au premier titre de la confusion qui règne dans les esprits.

On me répondra qu'on n'a pas toujours le temps, que les horaires sont bien rigides, qu'il faut donner le plus d'informations possibles.

C'est là un prétexte. Le bon journaliste peut, dans presque tous les cas, faire une synthèse correcte en moins d'une minute ou de trente secondes. Je ne dis pas que c'est facile; je dis que c'est possible. Encore faut-il en avoir la volonté.

Or, c'est cette volonté qui semble trop souvent manquer.

On préfère la facilité. On préfère s'en remettre aux autres pour aller plus loin, et plus en profondeur.

La nouvelle est tronquée? Qu'à cela ne tienne! Écoutez le «grand bulletin» dans deux heures et vous en saurez davantage.

Vous ne comprenez pas ce qui se passe? Pas d'importance. La semaine prochaine, vous pourrez voir un reportage exhaustif sur le sujet.

C'est oublier que la plupart des auditeurs, lecteurs, téléspectateurs, ne passent pas vingt-quatre heures par jour à s'informer et qu'ils en resteront, plus souvent qu'autrement, au petit bout d'information qu'ils auront réussi à attraper dans leur automobile en se rendant au bureau.

Il y a deux solutions, complémentaires l'une de l'autre. La première consiste à réduire le nombre des nouvelles pour approfondir davantage celles qu'on retient; la deuxième consiste à exiger des journalistes qu'ils aient la compétence nécessaire pour synthétiser l'information au lieu de la morceler.

D'ailleurs, qu'a-t-on besoin de tous ces bulletins d'information aux heures et aux demi-heures? Les nouvelles importantes et signifiantes ne sont pas si nombreuses, dans une journée ordinaire, pour qu'il faille nous en abreuver à un tel rythme. C'est ce rythme-là qui finit par nous faire embrasser trop de choses à la fois pour finalement nous plonger dans l'indifférence. C'est encore de cette manière qu'on finit par tout confondre et qu'on n'arrive plus à distinguer l'essentiel de l'accessoire.

Quand on veut multiplier le nombre des nouvelles, on est bien obligé de faire se côtoyer l'événement le plus important et le chien écrasé. On s'étonne ensuite que les gens ne s'émeuvent plus devant la pire catastrophe et qu'ils attachent tant d'importance à tous les commérages de quartier. C'est qu'ils ont perdu le sens de «l'événement». On a tant fait pour mousser l'information la plus insignifiante qu'ils finissent naturellement par lui donner autant d'importance qu'à l'information sérieuse aux conséquences incalculables.

Il faut donc se battre, je crois, pour une information moins diverse et plus complète.

Être bien informé, ce n'est pas savoir un petit peu sur tout, mais tout savoir sur peu — à condition que ce peu soit essentiel.

Nous,
février 1979

La télévision payante

J'ai toujours dit, et je répète encore aujourd'hui, que nous n'avons pas besoin de télévision vingt-quatre heures par jour. Ce sont évidemment les Américains qui nous ont transmis cette mauvaise habitude et nous les avons suivis bêtement, comme nous le faisons presque toujours.

J'ai dit et je répète que notre télévision serait bien meilleure si on se contentait d'en produire quatre ou cinq heures par jour. Mais je sais bien que cela ne se fera jamais ; alors, aussi bien en prendre mon parti.

Par contre, il est certaines choses qu'on peut encore empêcher, et je ne vois pas pourquoi nous n'essayerions pas de le faire. Je parle évidemment de la télévision à péage et de la multiplication des stations auxquelles nous sommes reliés par câble.

À Ottawa, le ministre des Communications, Mme Jeanne Sauvé, semble accepter la télévision à péage comme allant de soi. Au lieu de l'interdire tout simplement, *parce que nous n'en avons pas besoin*, elle se laisse trop facilement séduire par les très puissants lobbies qui ont tout intérêt à nous la faire avaler de force.

Or, il s'agit d'une entreprise strictement commerciale qui n'ajoute absolument rien à la consistance de notre ration quotidienne d'images en boîte.

Des primeurs? Pourquoi faire? La vie n'est pas si courte que nous ne puissions attendre un an ou deux avant de voir au petit écran la dernière-née des histoires fantastiques américaines.

Des événements spéciaux? Nous en avons déjà toutes les semaines à la télévision «non payante» et il nous coûte assez cher d'en payer la publicité sans qu'on nous impose par-dessus une surtaxe déguisée.

Il s'agit, d'autre part, d'une entreprise strictement américaine. Cela est grave et dangereux. Nous sommes déjà inondés de ce qui se fait aux États-Unis de meilleur et de pire (surtout de ce dernier). Voudrait-on nous mener à l'asphyxie totale qu'on ne s'y prendrait pas autrement.

Loin de moi l'idée de vouloir nous occuper du reste du monde. Mais comment ne pas constater que c'est justement cette inondation américaine qui nous empêche de voir d'autres horizons?

La télévision à péage répond-elle à un besoin? Non, mille fois non. Alors, pourquoi accorder tant d'attention à ses promoteurs? Et pourquoi tant de sollicitude pour les promoteurs de la câblodistribution?

Ne sommes-nous pas déjà suffisamment «câblés»? La disproportion entre le nombre de stations anglaises et le nombre de stations françaises n'est-elle pas déjà assez grande?

Dans ce cas comme dans celui de la télévision à péage, il s'agit encore d'une entreprise strictement commerciale et américaine.

On nous en donne déjà trop. Veut-on nous gaver jusqu'à l'indigestion aiguë?

On me répondra que ce débat est futile puisque, d'ici quelques années, les satellites de communication nous permettront de capter presque toutes les stations de télévision du monde.

Eh bien, soit! Qu'on nous ouvre les yeux sur le monde entier, je veux bien, mais qu'on ne nous les ouvre que sur nos voisins du Sud et je proteste!

Ce sont les Américains qui sont isolationnistes, pas moi. Ce sont eux qui veulent enfermer le monde entier à l'intérieur de leur culture et de leur système, pas moi.

Que le câble nous apporte les stations françaises, allemandes, anglaises et italiennes; qu'il nous serve les bulletins de nouvelles d'Alger et de Genève; qu'il nous permette de voir quelque film sénégalais ou brésilien, alors je suis entièrement d'accord.

Qu'il permette de plus d'offrir un service de télévision aux populations qui ne pourraient autrement en jouir, je suis encore d'accord.

Mais je m'élève contre le dumping culturel américain qu'il permet aujourd'hui.

Je sais que nous ne changerons pas ce qui existe déjà. Mais je pense qu'il est encore temps de protester auprès de nos gouvernements en les engageant à couper le robinet.

Assez, c'est assez!

Il est des besoins bien plus urgents qu'il nous faut combler. Et c'est justement parce que j'aime la télévision et que j'en imagine les immenses possibilités que je me refuse à la voir se dévoyer de la sorte.

D'ailleurs, ne serait-il pas temps de renverser le courant? Pourquoi ne pas offrir aux New Yorkais les trois stations françaises de Montréal? Impensable, je le sais. Ils n'en ont que faire, je le sais.

So, what?

Nous,
mars 1978

La clef dans la porte

J'avais d'abord décidé de n'en pas parler; je croyais qu'il ne s'agissait que d'une autre crise d'hystérie d'un Jean Marchand vieillissant et amer appuyé par quelques faces à claque de notre députation outaouaise. Toute l'affaire, me semblait-il alors, allait bientôt sombrer dans la farce. J'en étais d'autant plus certain que même Jean Chrétien se plaignait de n'être pas suffisamment «couvert» par Radio-Canada.

Il suffirait en effet, me disais-je, de couvrir systématiquement Jean Chrétien, de le montrer tel qu'il est dans toute sa bêtise pour porter un coup fatal à un fédéralisme moribond. En effet, pensais-je, si les hommes représentent quelque chose et si c'est là l'image qu'on veut donner du fédéralisme, celui-ci ne s'en remettra jamais. Ce grossier personnage, qui se met un pied dans la bouche pour parler et qui a toute la peine du monde à ne pas s'enfarger dans ses trois mots de vocabulaire empruntés à on ne sait plus trop quelle langue (la langue bilingue, diraient les méchantes langues), allait enfin pouvoir librement vomir sur ses compatriotes sans que personne l'en empêchât.

Il veut être couvert, le Chrétien? Soit! On va lui donner trois heures d'antenne par jour et, au bout de deux mois, le CRTC pourra toujours chercher sous les décombres les restes d'une illusion farfelue communément appelée «unité nationale»!

Malheureusement, les journalistes de Radio-Canada

ne sont pas aussi méchants que moi et, sans doute animés d'un souci d'objectivité qui les honore, ils ont préféré, pour ne pas nuire de façon trop flagrante à la thèse fédéraliste, ne laisser entendre des discours de M. Chrétien que les parties à peu près compréhensibles. Si donc, par hasard, vous percevez quelque cohérence dans les propos de M. Chrétien, sachez qu'il s'agit d'un montage dont le principal intéressé ne porte pas la responsabilité.

Mais ce n'était pas une blague, et nous ne mîmes pas longtemps à nous en apercevoir. Il s'agit bien plutôt d'un plan prémédité qui vise à transformer Radio-Canada en officine de propagande au profit des thèses fédérales et fédéralistes.

C'est André Ouellet, Goldwater des pauvres et ministre par surcroît, qui a lâché le grand mot. Oui, il s'agit bien de *propagande*, avouait-il sans sourciller. Le sénateur Keith Davey, grand manitou libéral, lui emboîtait le pas; il ne voulait pas utiliser ce vilain mot qui sonne mal aux oreilles sensibles mais il n'en pensait pas moins: «Après tout, ces gens-là veulent détruire notre pays, nous avons le droit de les en empêcher par tous les moyens.»

J'avoue que j'ai eu froid dans le dos quand j'ai entendu ces paroles. D'autant plus qu'elles venaient après le décret d'une enquête sur la prétendue infiltration séparatiste à Radio-Canada et après le projet de loi présenté par Mme Sauvé et qui donnait le pouvoir au gouvernement de s'ingérer dans les affaires du CRTC. D'autant plus que M. Trudeau n'avait désavoué que du bout des lèvres, pour la forme, son ministre de la propagande. Ce même Trudeau qui, il n'y a pas si longtemps, menaçait de mettre la clef dans la porte de Radio-Canada.

Ces gens-là sont dangereux et nous n'avons pas le

droit de nous taire devant leurs menaces. Les journalistes n'ont pas été lents à rétorquer. Même la digne association des journalistes de la tribune parlementaire d'Ottawa a cru bon de marquer son désaccord, fait sans précédent dans son histoire.

Il est évident pour tout le monde que nous avons à faire face ici à une véritable entreprise de censure.

Le plus odieux de l'affaire c'est qu'on se sert de la vieille loi constituante de Radio-Canada pour justifier les pires procédés.

On constate aujourd'hui, à l'usage, que cette loi n'a pas de sens; mais au lieu de la dénoncer et d'en fabriquer une autre on préfère s'en servir pour tenter de couper des têtes.

Loi contradictoire qui, d'un côté, exige de Radio-Canada qu'elle *reflète la réalité canadienne* en la forçant d'autre part à *promouvoir l'unité canadienne.*

Dans l'état actuel des choses, c'est une contradiction flagrante. Mais même en dehors d'une crise comme celle que nous connaissons présentement, ce «promouvoir l'unité canadienne» n'a aucunement sa place dans cette loi.

En effet, cet article de la loi oblige littéralement Radio-Canada à privilégier la propagande à l'information.

Ce mandat, largement interprété par tous les intéressés depuis des années, n'a pas donné lieu à de graves abus. Au contraire; les journalistes de la Société, aussi bien anglais que français, se sont d'abord et avant tout attachés à leur devoir d'information, et il ne leur est même pas venu à l'esprit de se transformer en propagandistes.

Aujourd'hui, on leur en fait un devoir sous peine de…

Et on a la loi de son côté.

Je m'étonne que personne, dans ce débat, n'ait attaqué la loi elle-même pour en démontrer l'incohérence.

Claude Ryan se tait, évidemment, pour ne pas réveiller sa conscience endormie.

Le président de Radio-Canada se défend mollement.

Le CRTC se fait complice en faisant semblant de prendre ses distances.

Les journalistes résistent. Dieu merci! ils ne sont pas encore tombés, sous la menace, dans le travers de l'autocensure qui dispenserait les censeurs de porter tout l'odieux de leurs actes.

Mais c'est Pierre O'Neil qui remplace Louis Martin à la direction de l'information de Radio-Canada. C'est de bien mauvais augure...

Et c'est Jack Horner qui entre au cabinet Trudeau pour renforcer l'équipe des matraqueurs.

Et c'est le réseau anglais de Radio-Canada qui institue sa propre enquête (*The Fifth Estate*) où on découvre que la Société parle beaucoup du Québec dans ses émissions d'information — tout en oubliant de dire que s'il ne se passe rien à Saskatoon ou à Moose Jaw, ce n'est quand même pas la faute des journalistes québécois.

C'est Québec qui fait la nouvelle, mais on voudrait forcer Radio-Canada à nous rappeler que l'eau coule toujours dans les chutes du Niagara.

Revenons à l'essentiel : c'est la loi qu'il faut amender de toute urgence. M. Trudeau et ses sbires se sont peut-être donné la mission de promouvoir l'unité canadienne, mais ce ne saurait en aucun cas être le rôle d'un organe d'information.

Je ne me fais pas d'illusion. La loi sert des intérêts trop puissants pour qu'on songe à la redresser.

Je voudrais cependant qu'on prenne conscience que

c'est dans cette loi qu'origine le mal, et que c'est elle qu'il faut combattre beaucoup plus que les hommes qui s'en servent pour masquer leurs sinistres projets.

Nous,
juillet 1977

La télévision et le néant

La télévision a-t-elle le pouvoir maléfique d'assassiner ses animateurs — et, si oui, comment l'empêcher de le faire?

On a beaucoup dit, trop peut-être, que la télévision dévorait tout ce qu'elle touchait, qu'elle était animée d'une telle fringale qu'elle engloutissait au sein de ses transistors miniaturisés et de ses circuits imprimés toute la culture vivante des peuples pour ensuite la régurgiter exsangue, vidée de toute substance, morte.

On a parlé du danger que courent les gens à se voir «surexposés» par la télévision.

On a souligné le pouvoir de démobilisation et de déconscientisation de la télévision qui, par la répétition et l'accumulation, finit par endormir ses plus fidèles adeptes.

Tout cela est-il vrai?

J'en suis, hélas! de plus en plus convaincu.

La télévision tue d'abord les auteurs. Je pense ici tout particulièrement aux auteurs de feuilletons. Est-ce qu'on se rend assez compte qu'on exige de ceux-ci, pour alimenter le monstre, l'équivalent de dix ou douze pièces de théâtre par année? Aucun dramaturge n'a jamais réussi ce tour de force. Non seulement l'auteur de feuilletons est-il obligé d'écrire à toute vitesse, de bâcler son travail, mais encore faut-il se vider complètement de tout ce qu'il avait accumulé, pendant des années, de matière.

Les Américains ont trouvé un début de solution à ce problème: certaines «séries» sont écrites par qui veut bien les écrire. Une fois les personnages établis, il appartient à chaque auteur de proposer le scénario d'un ou deux épisodes. C'est donc plus solide, mieux travaillé, souvent fignolé dans les moindres détails. Ainsi, une «série» écrite par quinze auteurs au lieu d'un seul risque de nous réserver des surprises jusqu'au dernier épisode.

Mais ce qui est possible aux États-Unis, où le réservoir d'auteurs est considérable, ne l'est pas nécessairement chez nous où nous pouvons les compter sur les dix doigts de la main.

Que dire maintenant des animateurs qui s'acharnent, jour après jour et semaine après semaine, à faire ressortir leurs qualités quand la moindre défaillance, grossie mille fois, ravage l'image qu'ils mettent tant de soins à construire? La télévision laisse bien peu à l'imagination et il arrive qu'on ait l'impression de mieux connaître un animateur de télévision (qu'on n'a jamais vu en chair et en os) que son plus proche voisin. Tant d'intimité finit par lasser.

Les comédiens ne sont pas mieux servis. Surtout ceux qui travaillent beaucoup. Comment croire au personnage quand c'est le même visage qu'on revoit trois fois, au cours de la même soirée, dans trois rôles différents? La radio nous laisse inventer tous nos fantasmes, mais la télévision bloque tout recours à la folle du logis.

«Surexposition», donc.

Les politiciens sont sans doute ceux qui en souffrent le plus. Autrefois, il aurait fallu des années avant que tous les Canadiens connaissent M. Pierre-Elliott Trudeau. Mais la télévision a répété son image à l'envi depuis huit ans, jusqu'à nous en donner l'habitude.

Or, nous le savons tous, rien ne tue plus rapidement que l'habitude. Et là où elle s'est incrustée, il n'y a plus que deux recours possibles : ou bien s'enfoncer dans la douce médiocrité du quotidien, avec tout l'ennui qu'elle distille, ou bien réagir avec vigueur en affirmant bien haut : «Il faut que ça change.»

Pourquoi changer? Cela n'a pas d'importance, ce n'est pas la question qu'on se pose. Le changement pour le changement, c'est tout ce qui compte. Comme on change de savon parce qu'une image en a remplacé une autre.

La carrière des hommes politiques est beaucoup plus courte qu'autrefois, et cela est dû en partie à la «surexposition» que leur impose la télévision.

Mais, à bien y penser, la télévision ne leur impose rien du tout ; ils se croient tout simplement obligés de lui rendre des hommages qu'elle ne sollicitait pas.

Celui qui sait résister à cette tentation peut envisager, aujourd'hui comme autrefois, de faire une longue carrière. Jean Drapeau en est peut-être le meilleur exemple ; on le voit peu à la télévision, mais quand on le voit il prend bien soin de s'accorder tout le temps nécessaire pour dire ce qu'il a à dire. Il refuse de se vendre en capsules d'une minute. Il garde ainsi tout son poids et tout son mystère — le mystère étant un ingrédient essentiel de toute fonction publique.

Si la télévision assassine les hommes, elle n'en assassine pas moins les événements : on se lasse de voir, à l'année longue, mourir les gens dans son salon ou dans sa cuisine. Le scandale n'existe plus. Le pire crime devient si normal, si naturel — si *quotidien* — qu'on n'arrive plus à le trouver obscène. Que nous reste-t-il en conscience de la guerre du Vietnam ou de la famine au Sahel? Absolument rien.

L'événement ne nous réserve plus aucune surprise. Que nous reste-t-il des Jeux olympiques? Une sorte de torpeur. Au début, une joie intense. Peu après, la prostration. Les Jeux olympiques auraient duré une semaine de plus que nous en aurions fait une indigestion. Le plus grand exploit devient banal quand il se passe chez soi et qu'on a l'impression de le réussir soi-même. La distanciation théâtrale n'existe plus. On est si près de l'événement qu'on a l'impression d'y participer. Je *suis* celui qui vient de gagner le cent mètres. Je *suis* celui qui vient de sauter deux mètres trente. Je *suis* celui qui vient d'assassiner sa mère. Je *suis* celui qui embrasse cette belle actrice.

Je suis tous ceux-là qui sont moi-même. Pourquoi donc devrais-je dès lors m'efforcer de *devenir?*

Je suis le monde entier.

Voilà pourquoi j'en conclus que la télévision n'assassine pas seulement ceux qui l'animent mais qu'elle tue également ceux qui la regardent.

Et pourtant je l'aime. Oui, j'adore la télévision. C'est bien l'instrument le plus séduisant jamais inventé par l'homme. Et il suffit parfois d'en souligner les défauts pour en imaginer toutes les qualités.

Nous,
octobre 1976

La drogue des média

Nous sommes informés. Nous sommes assez bien informés. Nous sommes de plus en plus informés. Et pourtant, nous arrivons de moins en moins à nous «faire une idée» ou à prendre une décision, encore moins à déterminer un cours d'action qui nous permette de sortir de notre maussade impuissance en face des problèmes qui nous entourent.

Pourquoi? Les média sont-ils coupables? Peut-être pas coupables, mais ils sont à tout le moins en grande partie *responsables* de l'espèce de sommeil éveillé qui est l'apanage des sociétés industrielles contemporaines.

Je ne crois pas exagérer en affirmant que les journaux, les magazines, la radio, la télévision affectent l'esprit humain exactement de la même manière que le font les drogues mineures. Le pot et le hash annihilent — du moins temporairement — l'esprit de synthèse pour lui substituer un processus linéaire qui ne permet pas le retour en arrière, qui procède par flashes consécutifs, sans lien les uns avec les autres, et qui, en conséquence, fait éclater l'esprit en autant de petites cases indépendantes qui se suffisent à elles-mêmes avant de mourir d'inanition.

Les média font de même.

De plus, les drogues mineures (et les drogues fortes vont encore plus loin dans ce sens) font perdre tout esprit de discrimination, c'est-à-dire que lorsqu'on est stoned, les choses et les êtres ont tendance à s'égaliser et à perdre leur valeur permanente pour ne plus posséder que la valeur temporaire que l'esprit privilégie à tel ou tel moment. Quel que soit son propre système de valeurs, tout s'égalise dans la drogue: l'ami n'a pas tellement plus d'importance que le chat qui passe, les critères esthétiques ou moraux qu'on s'est donnés s'évanouissent au profit des «peace and love» et des «beautiful» vagues et indéterminés (pour ne pas dire insignifiants), l'enfant qui se noie n'attire pas plus l'attention que la mouche «vaponisée» et toutes les sortes de bières goûtent la même chose. Sans parler du beurre de peanut à qui l'on trouve soudain toutes les vertus du lapin à la moutarde.

Les média font de même.

Ajoutons encore que l'abus des drogues rend apathique et amoindrit considérablement le fonctionnement de la mémoire.

L'abus des média produit exactement le même phénomène.

Avant les média, il y avait l'information de bouche en bouche. Une information directe, peu complexe, immédiate, restreinte dans l'espace (ce qui permettait de la vérifier sur place) et discutable par tous ceux qui y avaient accès. L'action dès lors pouvait suivre l'information de près.

Les média ont changé tout cela. L'information n'est plus qu'une série de flashes. Elle a l'univers comme champ d'appréhension (l'espace), elle est à peu près invérifiable et indiscutable et elle est si abondante qu'on n'arrive plus à en retenir l'essentiel. L'esprit de synthèse y est complètement absent. On peut entendre parler pendant dix ans de la guerre au Vietnam (par flashes) sans jamais savoir de quoi il s'agit. Une «situation» n'est plus jamais qu'une série de détails sans liens entre eux, et l'essentiel échappe même aux plus avertis. La situation est atomisée et insaisissable. On connaît tout d'une situation, mais c'est la situation elle-même qui nous échappe. De là à tomber dans l'apathie face aux grands problèmes du monde il n'y a qu'un pas, et c'est ce qui se passe de nos jours. L'action procède toujours de la synthèse, presque totalement absente de la masse d'information qui nous est transmise par les média.

Si on compare l'information à la publicité, on voit tout de suite la différence. La publicité ne nous offre que la synthèse (plus ou moins valable, plus ou moins simpliste) et fait fi des détails. Résultat? L'action suit immédiatement: nous achetons.

Non pas que les média soient incapables de synthèse. Qu'il suffise de se rappeler le *Point de mire* de René Lévesque. Mais les média sont paresseux.

Tout comme la drogue, les média, pris dans leur ensemble (et c'est dans leur ensemble que nous les bouffons), ne font pas de discrimination entre les faits: tous ont la même valeur pourvu qu'ils se vendent. La descente dans un club de nudistes a autant d'importance que le coup d'État au Chili, et le baseball à la télévision prend plus de place que ne le fait une maîtresse dans le cœur de son amant. Quel que soit son système de valeurs, *tout s'égalise*; tout est aussi bon et aussi mauvais que tout le reste.

Alors, pourquoi agir? Puisque tout est égal, à quoi sert-il de changer quoi que ce soit? C'est alors la passion qui meurt.

Abus de drogues. Abus de média. Le résultat est le même: apathie, perte de mémoire. Nous sommes tellement informés que nous n'arrivons plus à faire le tri et, d'autres l'ont dit avant moi, nous n'arrivons plus à tout absorber. Confrontés jour après jour aux problèmes du monde entier, nous ne pouvons plus les imaginer autrement qu'insolubles. Il nous prend un sentiment d'impuissance devant la foule et l'immensité des problèmes à résoudre. L'esprit s'agite d'abord, il va jusqu'à s'affoler, puis il entre en léthargie. Et c'est alors que nous remettons notre sort entre les mains de quelques bandits internationaux qui font la pluie et le beau temps et qui nous mènent par le bout du nez.

Et que dire de la mémoire? Vous vous souvenez de Duplessis?

Drogue et média: absence de synthèse, absence de discrimination entre les valeurs, abus.

Le rapprochement est peut-être scabreux, mais il est en tout cas certain que, dans un cas comme dans l'autre, le plaisir demeure même quand le problème n'est pas résolu.

Nous,
septembre 1974

L'image et la parole

Tous les média d'information ont en commun leur origine dans les mots, parlés ou écrits. Ils n'existent que pour augmenter la diffusion d'une information ou d'une pensée qui s'exprime par la parole.

Le mot et la phrase ont, dans les média, une importance primordiale. S'y ajoute depuis quelque temps l'image de la télévision. Sans la parole, il n'y aurait sans doute jamais eu de communication complexe et raisonnée. Sans elle, les média n'auraient pas vu le jour sous toutes les formes qu'ils empruntent aujourd'hui.

Il faut bien dire aussi que de tous les langages disponibles au genre humain (parole, musique, peinture, images, etc.), la parole reste la manière la plus généralisée, la plus complète et aussi la plus réglementée de communiquer. C'est le partage commun des règles d'un langage qui permet à tous de comprendre le même message, lorsque celui-ci s'exprime clairement et selon un certain nombre de règles établies.

Ajoutons encore que la parole est presque toujours le premier des langages de communication que nous utilisons tous et que, en conséquence et sauf exception, il devrait nous être plus naturel que tous les autres. Tout le monde ne peint pas, ne fait pas de la musique ou ne met pas son message en images, mais tout le monde parle. La parole est donc l'instrument premier de la communication chez les humains, et elle le restera sans doute encore longtemps, car elle n'exige pour exister aucun autre instrument d'appoint que des bouches et des oreilles, petits appareils fort répandus dans le monde. Pour l'amplifier, bien sûr, on se sert des média.

Or, il arrive aujourd'hui que la plupart des média se fichent éperdument de la parole: on parle mal et on écrit n'importe comment sous le fallacieux prétexte qu'on doit avoir le droit de parler et d'écrire librement, sans se soucier des règles et ne serait-ce que par onomatopées, *pourvu qu'on s'exprime.*

Ce «pourvu qu'on s'exprime» est en train de tuer l'expression. En effet, ce sophisme cache souvent deux choses: d'abord, le manque de matière à exprimer, illustré souvent par le manque de cohérence de ceux qui tiennent-à-tout-prix-à-s'exprimer-sans-avoir-rien-à-dire; et, ensuite, l'expression futile de ceux qui ne possèdent aucun moyen de communication — pas même la parole —, et qui finissent par faire dire à la bouche ce qu'aucune oreille ne peut comprendre, faute d'avoir au préalable adopté des règles communes à l'orateur et à l'auditeur.

On se dit trop souvent que les «vibes» ou les vibrations, sans le support de la parole, suffisent pour entrer en communication avec n'importe qui. Cela est peut-être vrai mais il est faux de prétendre du même coup que la *connaissance* des êtres puisse se passer de l'utilisation d'un langage commun, dont les règles soient partagées par l'ensemble des utilisateurs.

Je veux dire par là que les mots ou les notes de musique ou les images doivent avoir été codifiés de telle sorte qu'ils aient la même signification pour tous ceux qui les utilisent, émetteurs tout autant que récepteurs. Un langage n'est pas autre chose qu'un ensemble de règles propres à une plus ou moins vaste collectivité.

La tendance à sous-estimer la qualité et la précision de la parole dans les communications entre les hommes aboutit fatalement à la diffusion de messages incohérents, incompréhensibles pour la plupart des lecteurs ou des auditeurs. On dit ou on écrit telle ou telle chose de façon si vague et si imprécise que mille personnes recevront mille messages différents au lieu de recevoir toutes le même message. Mille messages qui continueront à se répandre dans le monde sous une forme si précaire qu'ils se changeront bientôt en cent millions de messages différents, tous issus d'une seule information.

Et on se demande ensuite comment il se fait que nous n'arrivions pas à nous comprendre entre nous.

Je dis que les média sont coupables de ne pas attacher plus d'importance à la parole. Je dis que tous les citoyens sont coupables d'en faire autant quand on sait que le premier médium d'information est la bouche, et que si cet instrument est incapable de précision, l'oreille, la tête et le cœur chavirent dans un déluge de sons et d'onomatopées embrouillé et confus.

Que dire de ce qu'on appelle les moyens audiovisuels, qui privilégient toujours le visuel, l'image au caractère nettement moins défini que le mot — et en conséquence moins précise que le mot — pour négliger complètement l'un des deux pôles de ce moyen d'information et de communication: l'«audio», la parole.

C'est le triomphe des paresseux qui n'ont rien à dire: ils n'ont rien à dire et ils le disent n'importe comment. Je n'ai jamais cru que les média étaient faits pour permettre à tous de s'exprimer. Je n'ai jamais cru non plus que tout le monde avait le droit de s'exprimer tout le temps et n'importe comment, fût-ce sous prétexte de liberté.

Quand on n'a rien à dire on se tait, et quand on a quelque chose à dire mais qu'on est trop paresseux ou négligent pour apprendre à le dire, on le fait dire par quelqu'un d'autre.

La parole, même divisée en centaines de langues, peut être un instrument de compréhension entre les hommes. On est en train d'en faire l'instrument d'une gigantesque confusion.

Nous,
octobre 1974

La télévision populaire

Il y a des avantages et des inconvénients à n'être qu'un petit pays. Mais dans le domaine de la télévision, je pense que les avantages l'emportent sur les inconvénients.

Ainsi notre télévision, malgré quelques travers élitistes, reste-t-elle l'une des plus «populaires» du monde. Je m'explique:

Il suffit de regarder la télévision américaine, française ou anglaise pendant quelque temps pour constater qu'il s'agit d'une télévision de stars. On y voit fort peu de gens ordinaires. Quel que soit le régime sous l'empire duquel ces télévisions fonctionnent — service d'État, entreprise privée, réseaux puissants ou stations marginales, liberté considérable ou contraintes énormes — elles peuvent toujours puiser dans un si vaste bassin de population que rares sont les gens ordinaires qui réussissent à se montrer la face au petit écran.

Tout particulièrement dans le monde anglophone, les stars sont si nombreuses qu'on peut en nourrir la télévision pendant des mois sans jamais avoir à recourir à des inconnus qui, malgré leurs talents et leurs compétences, risqueraient de faire baisser les cotes d'écoute. De temps en temps, on permet à un jeune-qui-promet de tenter sa chance sur un réseau national, mais s'il n'arrive pas à affirmer son statut de star instantanément, il est vite relégué aux oubliettes des petits clubs de nuit mal famés ou des tables rondes marginales des collèges de province.

La télévision est une terrible dévoreuse. Si on veut la nourrir de stars, il faut nécessairement s'appuyer sur une population considérable qui puisse les produire en quantité presque illimitée.

Cette télévision est également conservatrice. Les stars font partie du système; le système les sert fort bien. Ce groupe a donc des intérêts solides à défendre et les contestataires y sont rares. Pourtant, à la décharge de ce genre de télévision, il faut bien avouer que les stars ont souvent du talent et du métier, voire du génie, et qu'elles nous offrent souvent et régulièrement des spectacles de très haute qualité et de solide facture professionnelle. Il ne faut pas bouder le plaisir qu'on prend à une émission rigoureuse et bien faite où le talent éclate de toutes parts.

Mais quand on habite un tout petit pays comme le Québec, français par surcroît, entouré de toutes parts par deux cents millions d'Anglais, envahi par une télévision américaine omniprésente, on n'a pas le choix; sous peine de mourir d'inanition, la télévision est obligée de faire appel à tous ceux qui ont quelque chose à dire et qui le disent à peu près correctement.

Bien sûr, nous pourrions sans doute nous aussi faire une télévision de stars mais, avec nos cinq millions d'habitants, nous en produisons si peu qu'il faudrait sans doute nous limiter à une chaîne qui ne diffuserait que deux heures par jour.

Notre population, habituée qu'elle est maintenant à se lever et à se coucher avec la télévision, accepterait sans doute fort mal cette réduction draconienne.

Nécessité fait loi. C'est pourquoi notre télévision fait appel au «monde ordinaire» plus souvent que presque n'importe quelle télévision dans le monde entier. Les visages inconnus s'y succèdent jour après jour et on peut y devenir vedette en moins de temps qu'il n'en faut pour le dire. Chez nous, il n'est pas nécessaire d'avoir du génie pour aller faire son tour au canal dix ou au canal deux: un petit quarante-cinq tours plus ou moins réussi, une petite conférence dans un cégep de province ou un exploit mineur dans une ligue de hockey amateur peut facilement vous projeter sous l'éclairage fabuleux de la télévision-en-couleurs.

Je dis que c'est bien ainsi. Car la télévision chez nous, malgré des cadres rigides et malgré son intégration formelle au système, est forcément obligée d'éclater dans toutes les directions et de devenir un véritable instrument de participation pour une population qui a plus envie que jamais de s'exprimer.

Et on s'aperçoit dès lors que nombreux sont ceux qui ont quelque chose à dire et qui arrivent à le dire clairement. Je suis toujours surpris de voir la compétence des centaines d'invités de nos chaînes de télévision. Tous les sujets y passent et on trouve toujours quelqu'un quelque part qui puisse en traiter solidement. Quelqu'un qu'on ne reverra peut-être pas de sitôt mais qui a pu ajouter son témoignage à la masse d'informations que nous ingurgitons chaque jour. Quelqu'un qu'on ne connaît pas, mais qui reflète d'autant mieux l'opinion de son milieu, de sa région ou de son groupe.

Cette télévision est rarement démagogique, car ceux qui y paraissent n'ont pas à y défendre les intérêts du spectacle. Citoyens ordinaires, la télévision n'est pour eux qu'un moyen de communication. Ils ne font pas de la télévision pour gagner leur vie, c'est pourquoi ils peuvent se sentir beaucoup plus libres d'y exprimer leurs véritables sentiments.

Mais cette télévision «populaire» a aussi ses pièges.

Elle risque surtout parfois de faire une trop grande part à la médiocrité. Comme il est beaucoup plus facile ici qu'ailleurs d'aller y faire son petit numéro, il arrive souvent que même les stars s'y préparent mal. La compétition étant fort limitée, on tombe souvent dans la facilité. «Pourquoi me forcer? Ils auront toujours besoin de moi de toute façon.» Si on n'y prend garde, la qualité de nos émissions risque toujours de se dégrader rapidement.

D'autre part, comme on a toujours besoin de plus en plus de monde pour nourrir le monstre, il peut arriver qu'on fasse appel à des gens fort médiocres qui n'ont rien à dire, qui chantent mal ou qui patinent sur les bottines.

Il faut faire attention à ce piège, car c'est alors donner une importance considérable à des gens qui dans tout autre pays auraient du mal à se faire inviter à présider une noce de campagne.

Mais tout cela n'est pas si grave puisque je considère que tout compte fait, malgré le piège de la médiocrité qui nous guette toujours, notre télévision *populaire* vaut beaucoup mieux que toutes les télévisions à stars du monde.

C'est tout un peuple qui se regarde vivre, réfléchir et s'amuser. Cela vaut mieux que de n'en voir que quelques-uns s'amuser en dehors de nous, dans des sphères qui nous sont inaccessibles et au service d'intérêts qui nous sont parfaitement étrangers.

Nous,
avril 1975

La guerre télévisée

La première guerre télévisée vient de prendre fin et j'aurais presque envie de dire que Saïgon s'est d'abord rendue aux téléspectateurs avant de se rendre au GRP et à Hanoï.

En effet, nous étions tous devenus des stratèges de salon et nous avions souvent une meilleure vue d'ensemble de la situation que les combattants eux-mêmes. Nos cartes étaient précises et nous pouvions analyser tous les mouvements des forces en présence. Nous connaissions la psychologie de ceux qui s'affrontaient et de leurs chefs. Nous pouvions compter le nombre d'avions, le nombre de blindés et de canons, le nombre de soldats. Nous étions spectateurs, bien sûr, mais également participants puisque nous descendions dans la rue pour protester contre la tuerie.

La presse nous renseignait mieux que nos gouvernements, et c'est elle qui a réussi à faire éclater les vessies qu'on voulait nous faire prendre pour les lanternes du pouvoir.

C'est pourquoi *l'Express* pouvait affirmer avec raison: «Jamais, il faut le dire, une guerre n'a été aussi bien «couverte», alors que la tâche était non seulement dangereuse, mais aussi particulièrement difficile, car jamais les autorités officielles, qu'elles soient françaises, américaines ou vietnamiennes, n'ont autant cherché à tromper l'opinion. Jamais les généraux et les gouvernements n'ont autant menti. C'est grâce à la presse que l'opinion a su la vérité sur le Vietnam. C'est grâce à la télévision que l'Amérique, et aussi le reste du monde, a assisté pour la première fois à une guerre en direct et a vu de ses yeux la réalité insoutenable des combats.»

Après l'Algérie et le Vietnam et grâce à l'information massive dont ces deux guerres ont fait l'objet, en France et aux États-Unis notamment, on peut désormais affirmer qu'il sera de plus en plus difficile de mener, à partir des pays où la télévision affirme sa puissance, des guerres coloniales. En effet, les Algériens ont mené une partie de leur combat en France, tout comme les Vietnamiens ont livré quelques-unes de leurs meilleures batailles dans les salons et les cuisines des Américains. La télévision est devenue, aux mains des combattants, une arme aussi puissante que n'importe quel blindé ou n'importe quel canon.

Une fois la guerre psychologique engagée, on peut miner le moral de l'adversaire en faisant gicler sur son écran-couleurs le sang de ses propres enfants. On peut aussi lui démontrer la barbarie de ses assauts et l'immoralité de sa présence sur le champ de bataille. Pour ce faire, on n'a pas besoin de déplacer des armées, on n'a pas besoin de faire intervenir les armadas aériennes ou navales; une caméra suffit.

On peut aussi diviser l'ennemi contre lui-même tout en lui donnant mauvaise conscience. C'est à partir de cette mauvaise conscience que toute une partie de l'Amérique a commencé de faire pression sur ses gouvernants pour qu'ils sortent au plus tôt de cette «sale guerre».

On peut émouvoir l'assaillant au point de lui enlever toute envie de se battre.

On peut le droguer grâce aux injections massives d'images et de renseignements dont on l'accable. On finit par se lasser de participer à la guerre tous les jours dans son propre foyer, et c'est à partir de cette lassitude que s'est prise, aux États-Unis, la décision de tout laisser tomber.

Ce ne sont plus les généraux qui se rendent mais les téléspectateurs. Et, comme je l'affirmais au début, le contraire est également vrai.

Car il est une question qui n'est pas encore résolue: les téléspectateurs de la guerre du Vietnam ont-ils gagné ou perdu la guerre? Ceux qui affirmeront que la télévision leur a fait prendre conscience de l'immoralité de leur conduite et de l'inutilité de ce combat pourront dire qu'ils ont gagné la guerre en remportant d'abord une victoire sur eux-mêmes puis en se réjouissant, avec plus ou moins d'amertume (car la pilule est quand même difficile à avaler), de voir les Vietnamiens réussir à libérer leur territoire de l'envahisseur étranger.

Ceux qui affirmeront que c'est par lassitude qu'ils ont décroché, auront le sentiment de s'être fait avoir, d'avoir perdu la guerre. Car s'ils avaient été moins bien informés — drogués, diront-ils —, ils auraient continué le combat jusqu'au bout, jusqu'à la mort du dernier de leurs fils.

La nouvelle puissance des média d'information n'a pas fini de nous fournir ce genre de contradiction.

Il faut encore ajouter quelque chose. L'affirmation peut paraître scabreuse à première vue, mais je pense qu'elle ne manque pas de vérité: la télévision a «démocratisé» la guerre. Elle l'a mise à la portée de tout le monde et non pas seulement des militaires. Elle a mis tous les combattants sur un pied d'égalité. Elle a permis à la souffrance de l'ennemi d'apparaître aussi tragique que la souffrance de l'allié.

Autrefois, les civils étaient relativement peu touchés par la guerre, surtout si celle-ci se déroulait loin de leur territoire. Ils ne voyaient trop souvent que la souffrance des leurs: quand leurs soldats revenaient du front, éclopés, sanglants, déchirés, ils s'émouvaient beaucoup et nourrissaient aussitôt de fermes sentiments de vengeance. Ils ne voyaient jamais la mère du soldat ennemi qui pleurait son fils disparu. Ils n'entendaient pas les cris de l'agonisant qui s'éteignait de l'autre côté de la barricade. La souffrance de l'ennemi était toujours abstraite, à peu près complètement ignorée. L'allié avait tout de l'être humain qui souffrait et qui mourait, pendant que l'ennemi n'était qu'une mécanique plus ou moins détraquée, un chiffre affiché quelque part: trois cents morts, sept cent quarante-deux blessés. La souffrance de l'ami prenait une dimension tragique, elle était immédiatement perceptible, alors que la mort même de l'ennemi restait une lointaine abstraction.

La télévision a tout changé. Nous avons trop vu de Vietnamiens ensanglantés, d'enfants mutilés, de mères éplorées pour pouvoir nous imaginer «l'ennemi» comme n'étant qu'un monstre à abattre par tous les moyens. La souffrance est donc devenue «démocratique» en ce sens qu'on s'est aperçu qu'elle appartenait à tout le monde, indistinctement des allégeances, des deux côtés de la ligne de feu. On s'est aperçu soudain qu'il y avait des êtres humains des deux bords. La télévision a agi comme un miroir. Elle nous a renvoyé notre propre image. Elle nous a montré qu'il n'y avait que l'uniforme pour masquer la vérité. Elle nous a fait comprendre que les soldats, nus, se ressemblent terriblement et que les larmes d'une mère vietnamienne valent bien celles d'une mère américaine.

La presse en général et la télévision en particulier peuvent, je crois, crier victoire. Sans elles, on se battrait peut-être encore dans les rizières vietnamiennes.

Tout cela n'est qu'hypothèse, bien sûr, et on pourra peut-être mettre en doute pareilles conclusions. Il faudra beaucoup de temps pour analyser les retombées de cette première «guerre télévisée». Mais ce qu'on ne peut nier, c'est que les média, la télévision surtout, risquent désormais de changer toutes les données de la guerre. Information (et propagande) sont devenues des armes avec lesquelles il faudra désormais compter.

Un optimiste n'hésiterait pas à conclure que les média pourraient aussi servir à éliminer la guerre en en transmettant toute l'horreur aux non-combattants et aux non-initiés. Mais il faudrait, en effet, être très optimiste...

Nous,
juillet 1975

Faut le faire!

C'est l'été. Les chaînes de télévision nous servent des reprises plusieurs fois réchauffées, les journaux sont moins épais que d'habitude et certains magazines nous offrent deux éditions en une. J'en profite donc pour réfléchir un peu sur l'ensemble de la profession, telle qu'elle se présente aujourd'hui au Québec.

Ce qui frappe au premier abord, et ce qu'on oublie trop souvent de souligner, c'est la quantité et la variété des média auxquels nous avons accès, nous Québécois. Nous sommes un petit peuple de cinq millions d'habitants et pourtant nous réussissons à nous offrir, toutes proportions gardées, un réseau de média dont certains pays de vingt-cinq ou cinquante millions d'habitants sont incapables de se doter.

Cela ne cesse de m'étonner. Nous ne sommes pas nombreux et nous ne sommes pas très riches et pourtant il me semble que, presque inconsciemment, nous avons décidé de faire de la communication l'une de nos priorités. En tous cas, nous engloutissons dans ce domaine beaucoup d'efforts et beaucoup d'argent.

Les États-Unis comptent deux cent onze millions d'habitants. Ils se sont dotés de trois chaînes nationales de télévision. Nous aussi. Trois chaînes qui diffusent en français et qui, très souvent, n'ont absolument rien à envier, ni en quantité ni en qualité, à leurs concurrentes américaines.

Qui dit mieux? Moi. Car nous nous permettons en

plus de subventionner sur notre territoire deux chaînes de télévision anglaises en plus de fournir des millions en publicité à quelques stations américaines.

Qui dit mieux? Moi. Car nous sommes à l'avant-garde du monde dans l'expérimentation de la télévision communautaire et nous avons lancé l'un des premiers vidéographes du monde.

Qui dit mieux? Personne.

Cela n'a l'air de rien, mais il faut le faire. Il faut trouver l'argent et le personnel. Nous avons fait tout cela en moins de vingt-cinq ans. C'est presque un miracle quand on songe aux moyens dont nous disposons et à notre réservoir de population passablement restreint.

S'il n'y avait que cela, ce serait déjà fantastique. Mais *cela* n'est qu'une petite partie de la formidable machine à communiquer que nous avons mise en marche il y a plus de cent ans.

Regardons du côté radio; à Montréal seulement, six stations de radio AM, quatre FM. Plus de cinquante stations AM en province.

Qui dit mieux? Moi. Car en plus de cet effort gigantesque, nous subventionnons, à Montréal, autant de stations anglaises et nous en faisons vivre quelques-unes en province.

Qui dit mieux? Moi encore. Car en effet, Radio-Canada s'est dotée d'un service international qui nous coûte passablement cher et qui diffuse à travers le monde entier. Encore là, on peut parler de miracle.

Qui dit mieux? Personne, évidemment.

Les journaux? Montréal: trois grands quotidiens français. Une dizaine en province. Plus de cinquante hebdos nationaux et des douzaines d'hebdos régionaux. Même en chiffres absolus, nous pouvons soutenir la comparaison avec plusieurs «grands» pays du monde.

Qui dit mieux? Moi. Car, non satisfaits de cet effort gigantesque, nous nous offrons le luxe de «subventionner» deux grands quotidiens anglais à Montréal même.

Qui dit mieux? Personne.

Nous arrivons aux mensuels. Ils sont encore peu nombreux mais ils existent. On les verra sans aucun doute se multiplier dans les années à venir. Mais nous ne devons pas oublier cette foule de mensuels spécialisés, en médecine, en ingénierie, en décoration ou en arts que nous subventionnons à grands frais. Je le répète: il faut payer pour tout cela et il faut trouver le personnel compétent pour animer la machine.

Qui dit mieux? Personne, trois fois personne.

Nous ne saurions nous arrêter en si bonne voie. Nous produisons beaucoup de disques québécois, beaucoup de films québécois, beaucoup de spectacles québécois. Nous en produisons, proportionnellement, plus que la plupart des peuples du monde. Et nous les *consommons*. Même en chiffres absolus, nous dépassons, dans ces domaines, nombre de pays beaucoup plus populeux que le nôtre. Et tout cela à partir d'un matériau dont l'originalité n'a plus rien à envier à quiconque.

Qui dit mieux? Moi. Car ce n'est pas tout. Nous publions proportionnellement autant de livres que la plupart des grands pays du monde. Et la poésie se vend mieux ici qu'en France. Il faut trouver l'argent, il faut trouver les auteurs, il faut trouver les éditeurs, il faut trouver les imprimeurs, etc., etc. Nous le faisons.

Qui dit mieux? Personne.

Je sais que j'ai l'air de me confondre de plaisir à l'observation de pareille abondance. Et pourquoi pas? Nous sommes un peuple créateur et communicateur. Nous ne le savons pas assez.

On me reprochera sans doute de parler de quantité

quand la qualité laisse tant à désirer. Mais le reproche est-il vraiment fondé? Notre télévision, notre radio, notre presse sont-elles moins bonnes que celles des autres? Il faut en douter. Nous avons nos points forts et nos points faibles, bien sûr, mais dans l'ensemble il faudrait être aveugle pour ne pas voir l'excellence de certaines de nos productions. En vérité, nous ne sommes ni meilleurs ni pires que les autres à cette différence près que l'effort que nous devons consentir pour atteindre quantité et qualité est beaucoup plus considérable que celui des autres.

Faudrait-il nous reprocher de n'être pas parvenus encore à publier un journal de la qualité du «Monde». Il faudrait être bien mesquin car aucun autre peuple n'a encore réussi cet exploit.

Et qu'on me nomme trois télévisions nationales qui soient, dans l'ensemble, meilleures et plus originales que la nôtre!

Qu'on me nomme trois pays qui produisent, proportionnellement, autant d'interprètes et d'auteurs que nous en produisons.

Qu'on me nomme trois pays où il se publie, per capita, plus de livres qu'ici. Nous ne publions pas Sartre, Marcuse, Mailer ou Marquez? Je le sais. Mais je sais aussi que nous y arriverons. Le génie peut fleurir chez nous aussi bien qu'ailleurs. Il faut lui donner le temps et le milieu propices à son épanouissement. Cela est affaire de civilisation et non de média.

Pourquoi ne nous trouverions-nous pas beaux et fins de temps en temps? Non pas gratuitement et sans raison. Au contraire. Je mets quiconque au défi de me contredire et de ne pas avouer que nous avons quelque raison de nous réjouir de ce que nous avons réussi à faire en ce domaine.

Hélas, nous ne pouvons pas que nous réjouir. Car

tous ces média, si nombreux et si excellents soient-ils, ne sont que des supports à l'expression première qui s'appelle le langage. Et le langage, chez nous, se détériore rapidement. Nous nous sommes donnés de bons instruments de communication mais nous risquons de les voir se mourir d'inanition si nous n'arrivons pas à les nourrir de l'expression la plus claire et la plus complète qui soit. Ils mourront si nous ne nous débarrassons pas de l'illusion qu'une image vaut mille mots et qu'une photo ne saurait mentir. Car cela est faux, archi-faux. Le mot reste irremplaçable et nous l'avons beaucoup trop négligé.

Encore là, c'est affaire de civilisation beaucoup plus que de moyens. Nos média baignent dans une culture tordue, déchirée, harcelée de toutes parts. Malgré tout, nous réussissons à accomplir des miracles. Mais le miracle n'est pas la condition normale d'un peuple. C'est donc cette condition qu'il faut changer. Mais nous ne parlons déjà plus des média, nous entrons dans la politique. Je laisse donc à cette autre partie de moi-même le soin d'en discuter ailleurs.

En attendant, je nous regarde le nombril et je le trouve beau.

Nous,
septembre 1975

La télévision volée

Depuis nombre d'années, la télévision et la radio m'avaient volé beaucoup de mon temps, de ma solitude et de ma «créativité». Eh bien, elles ont été bien punies: elles se sont fait voler à leur tour.

Oui, on m'a volé mon téléviseur et ma chaîne stéréo... le soir de l'Halloween, pendant que je festoyais avec mon directeur bien-aimé et que je reprenais avec lui, pour la centième fois, notre querelle ON/NOUS. Conclusion: si je n'avais dîné avec le rédacteur en chef de *NOUS*, ON ne m'aurait pas volé... peut-être!

Eh oui! On m'a volé mes instruments de travail et de plaisir. En effet, comment peut-on écrire une chroniques sur les média quand on n'a ni télévision ni radio? À moins justement d'écrire sur le fait d'en être dépossédé... Et pourquoi pas?

Puisque ma maison est devenue une sorte de refuge sans images et sans sons, il est peut-être temps de m'interroger sur la place qu'ils prenaient dans ma vie.

Cet imparfait n'est pas tout à fait juste: je devrais plutôt écrire «la place qu'ils prennent dans ma vie» car je m'aperçois que, même absents, ils n'en occupent pas moins une part importante de mon existence.

Voilà donc ma première observation: la télévision et la radio sont une maladie psychosomatique. Je m'explique: au lendemain du vol, je ne ressentis aucune amertume. Les biens matériels sont infiniment remplaçables et le plus souvent par des objets de meilleure qualité. Mais je ressentis plutôt une sorte de fringale; j'avais une envie effrayante de consommer de la télévision et de la radio. Or, depuis près d'un mois, je m'étais fort peu adonné à ces deux vices; j'avais consacré fort peu de temps à mes deux machines à foudre et à tonnerre. Autrement dit, je m'en passais fort bien. Mais sans doute leur présence était-elle fort rassurante puisque maintenant mon sentiment d'insécurité frisait la panique. Au fond il n'y avait pas grand-chose de changé dans ma vie et pourtant j'avais l'impression d'habiter un autre monde dont j'avais oublié jusqu'à l'existence.

Vivre avec soi-même! Mais est-ce possible? J'avais beau me raisonner, me dire: «Tant mieux, je vais en profiter pour lire, écrire, réfléchir», je n'arrivais pas à me convaincre qu'il fût possible de vivre, voire d'exister, sans mes beaux joujoux dispendieux, comme on l'avait fait pendant des milliers d'années.

En vérité, je ne manquais de rien, mais j'avais le sentiment profond que la famine me guettait. Telle est donc la force de l'habitude.

Les jours passèrent. Comme je survivais, la tête me revint à l'endroit et je compris que les béquilles ne sont pas nécessaires quand la jambe n'est pas cassée. Je compris surtout qu'il s'agissait bien, hélas! de béquilles, utiles certes, mais non pas essentielles. Non pas que je veuille m'en priver à tout jamais! J'aime la télévision et la radio, j'aime mes béquilles, surtout quand j'ai l'esprit qui chancelle, *mais je n'en ai pas besoin.*

Ainsi rassuré sur mon compte, j'en arrive à ma deuxième observation: privé de radio et de télévision, je réappris à observer le monde à travers les yeux et les oreilles des autres qui, eux, regardaient la télévision et entendaient la radio.

«As-tu vu Trudeau à la télévision, hier soir?»

«Non, on m'a volé mon téléviseur.»

«Eh bien, il a dit ceci... Et cela... Et cela encore!»

Puis, quelqu'un d'autre me raconta le même discours de Trudeau. Et encore un autre. Puis une douzaine d'autres. Finalement, j'appris tout du discours de Trudeau — non pas ce qu'il avait dit, mais la perception qu'en avaient eue les «voyeurs».

Je ne savais plus très bien ce qu'avait dit Trudeau, mais je savais parfaitement ce que les gens *pensaient* de ce qu'avait dit Trudeau. Et je sais également non pas ce qui se passe au Portugal, mais ce que les gens *pensent* qu'il se passe au Portugal. Et je sais non pas ce que vaut telle ou telle marque de savon, mais ce que les gens *pensent* que vaut telle ou telle marque de savon.

Et je comprends de nouveau (ce que j'avais déjà compris en faisant des discours) à quel point la perception qu'on peut avoir d'un message peut être différente du contenu réel du message. Et je comprends de nouveau la difficulté que nous avons à «décoder» les messages qui nous sont transmis, si clairs soient-ils.

Et j'en viens encore une fois à la conviction, plus forte que jamais, que la communication de masse est une imposture, puisque personne ne comprend la même chose de la même façon.

J'ose aller plus loin: il n'y a de vraie communication — finalement — qu'entre deux individus amoureux. Deux individus au maximum, qui poussent au plus haut point la connaissance qu'ils ont l'un de l'autre, qui apprennent leurs codes respectifs, qui ajustent leurs perceptions, qui partagent des conventions dûment répertoriées. Amoureux par surcroît: pour que les sentiments qu'on éprouve l'un pour l'autre éclairent les codes et les animent. Parce que la passion a plus d'exigence que la simple volonté de connaissance intellectuelle et qu'elle pousse à vouloir clarifier les choses et parce qu'elle nous pousse également à pénétrer dans le milieu même de la connaissance réelle, l'esprit et le cœur du transmetteur/récepteur.

Je me doutais de cela depuis longtemps. Il me semble que j'en ai maintenant la certitude.

Troisième observation: la télévision et la radio sont des voleurs de solitude. Je ne dis pas que cela est mauvais; il est des solitudes inhabitées, insupportables. Nous les connaissons tous ces moments de vide absolu, ces jours et ces nuits où nous ne percevons que ce qui nous est extérieur, incapables de sentir les ressorts intérieurs qui, en d'autres temps, parfois en d'autres lieux, nous animent d'un élan prodigieux.

En ce sens la télévision et la radio sont de merveilleuses béquilles pour les âmes en désarroi. Elles deviennent alors communication pure, presque abstraite, cordon ombilical, même, qui nous relie sinon à l'espoir du moins à l'absence de désespoir.

Mais à moins d'être parfaitement crétin, on n'a pas toujours besoin de cette distraction. La solitude — si enrichissante lorsqu'on sait l'habiter — n'a pas besoin d'artifices pour s'égayer.

Or, nous ne sommes pas tellement meilleurs les uns que les autres. Nous avons beau dire que nous sommes disciplinés, que nous ne sommes pas esclaves de la télévision et de la radio, que nous pouvons très bien nous en passer et que nous ne regardons et n'écoutons que ce qui nous intéresse vraiment, CE N'EST PAS VRAI!

Et c'est dans ce sens qu'elles nous volent notre solitude, ou plutôt ces moments de solitude essentiels qui permettent à l'esprit aussi bien de s'activer que de se reposer.

Quatrième et dernière observation: mes voleurs ne m'ont pas volé mes livres. Les voleurs ne volent jamais les livres. Ils volent des voitures, des téléviseurs, des appareils-radio, des bottes de cuir, de l'argent, des bijoux, mais jamais les livres.

Pourquoi les voleurs ne volent-ils pas les livres? Cette fois, je ne vous donne pas ma réponse. Trouvez votre propre réponse à cette question. Fermez la télévision et faites travailler vos méninges et vous verrez alors que les voleurs peuvent nous en apprendre beaucoup sur l'état de notre société.

Mes voleurs m'ont rendu à ma solitude pour quelque temps. Je vous en souhaite tout autant.

Nous,
janvier 1976

Les Îles Moluques, vous connaissez?

Existe-t-il un anthropologue ou un ethnologue digne de ce nom qui n'ait rêvé d'aller étudier sur place les indigènes de Nouvelle-Guinée?

Existe-t-il un esthète qui n'ait entendu parler des danseuses de Bali?

Existe-t-il un rêveur qui ne se soit transporté dans l'esprit en ces îles merveilleuses qu'on ne peut imaginer que paradisiaques: Bornéo, Sumatra, Java?

Et Célèbes, au cœur de la province de Soulawesi? Ses volcans, sa végétation luxuriante...

Vous l'aurez sans doute deviné: je m'apprête à vous parler des Îles Moluques.

Les Îles Moluques?

Oui, les Îles Moluques.

Jamais entendu parler!

Non? C'est que vous ne regardez pas la télévision, que vous n'écoutez pas la radio et que vous ne lisez pas les journaux. Pendant quelques semaines, les média n'en ont eu que pour elles, ces petites îles apparemment sans importance plantées sur l'équateur entre Célèbes et la Nouvelle-Guinée, à trois coups de rame de Bali, de Java et de Bornéo.

«Les Sud-Moluquois réclament l'indépendance de leur territoire.» Voilà ce qu'ont voulu nous dire quelques-uns d'entre eux par la voix impuissante et pourtant tonitruante des otages qui, en Hollande, leur ont servi de bouclier et de haut-parleurs.

Il n'aura fallu que ce coup d'éclat pour que les Îles Moluques, jusqu'alors refoulées dans la seule mémoire des dictionnaires et des traités de géographie, fassent l'objet de toutes les conversations — après avoir éclaté comme une bombe à la une des journaux du monde entier.

Or si, grâce à cet exploit spectaculaire, nous ne pouvons plus ignorer l'existence des Îles Moluques, nous n'en savons toujours pas plus long sur leur histoire, sur leurs populations, sur leur intégration apparemment mal réussie aux États-Unis d'Indonésie et sur les aspirations politiques de leurs habitants.

C'est que nous n'avons à peu près rien vu à la télévision, entendu à la radio ou lu dans les journaux qui nous expliquât un tant soi peu la situation qui en vint à provoquer les événements de Hollande.

À quelques exceptions près, les média, même les plus sérieux, s'en sont tenus à l'exploitation exclusive du côté spectaculaire de la tragédie.

Loin de moi la pensée de vouloir généraliser abusivement! Nos média, de plus en plus, s'efforcent en bien des cas de révéler ce qui se cache sous la déclaration intempestive ou sous l'action apparemment désordonnée ou dépourvue de signification. En ce sens, nous avons fait, depuis quelques années, des progrès considérables.

Malgré tout, on ne peut s'empêcher de constater que les média se préoccupent encore beaucoup plus (beaucoup trop) de l'apparence des êtres et des choses plutôt que de leur contenu.

Je dis qu'on a perverti la valeur intrinsèque de l'image. Tout à la joie d'avoir découvert sa puissance de pénétration dans les masses, on a voulu lui donner le rôle exclusif de la transmission de toutes les réalités, aussi bien spirituelles que matérielles.

Cette image peut tout aussi bien être visuelle qu'écrite ou parlée. Or, l'image ne peut pas tout faire — contrairement à ce que certains peuvent penser. Elle ne peut pas remplacer à elle seule tous les autres moyens de communication: la parole écrite et parlée, la musique, les sentiments passionnels, les silences éloquents, l'art ou le signe.

Il ne suffit pas de «faire image» pour avoir tout dit. Alors que chaque moyen de communication devrait servir de complément à tous les autres (nécessairement imparfaits), on a voulu faire de l'image le moyen de communication privilégié en le situant trop souvent au-dessus et hors des autres.

L'image, ayant acquis par elle-même une valeur intrinsèque au mépris de sa fonction réelle, qui devrait être la transmission d'un contenu, ne peut que se reproduire elle-même indéfiniment à des millions d'exemplaires. C'est comme si le miroir n'avait d'autre fonction que de se reproduire soi-même sans jamais rien refléter.

C'est pourquoi il arrive si souvent qu'on ne retienne des événements que leur côté spectaculaire. On transmet le miroir lui-même au lieu de sa réflection. L'arbre devient plus important que la forêt entière — caractère qu'on retrouve aussi bien chez les myopes que chez les journalistes.

On compte les morts, mais on ne nous dit pas pourquoi ils sont morts ni de quoi ils ont vécu. On nous parle de la bombe sans nous expliquer les motivations de l'artificier. On nous décrit le tonnerre sans jamais mentionner la foudre. On ne peut imaginer le requin que méchant; on ne comprend plus qu'il puisse avoir faim.

La pauvreté est devenue une statistique pour mieux nous faire oublier qu'il y a des *pauvres*. La description de la famine finit par masquer le sentiment effroyable de la faim elle-même. L'image des «ouvriers au pouvoir» aboutit à retarder l'abolition de la condition ouvrière elle-même.

L'image pour l'image!

Je m'éloigne des Moluques? Pas tant que cela.

Les Moluquois eux-mêmes, à la suite de tant d'autres, sont tombés eux aussi dans ce piège de l'image. Le monde entier risque de ne retenir d'eux que «l'image» d'un train et d'une ambassade où se désespèrent quelques dizaines d'otages.

Le monde entier sait qu'ils existent? Et puis après?

À quoi me servirait-il que le monde entier soit au courant de mon existence si personne ne me comprend et si personne ne m'aime?

À quoi sert-il d'éveiller mon attention s'il faut me donner chaque jour un coup de poing sur la gueule (l'image) pour la retenir?

Au fond, les faiseurs d'images et les transmetteurs d'images sont aussi responsables les uns que les autres de ne pas les animer, de ne pas leur donner un contenu, de ne pas les faire imploser jusqu'à leur faire cracher leur vérité.

Je ne souhaite qu'une chose: que les Sud-Moluquois sortent de leur train pour me décrire la vie quotidienne à Ceram ou à Boeroe, et que les journalistes m'expliquent pourquoi ils s'y sont barricadés en premier lieu.

Nous,
février 1976

La bouche et l'oreille

On a toutes les peines du monde à savoir ce qui se passe en Chine. Le Cambodge s'est coupé du monde et il faut attendre le témoignage des réfugiés pour apprendre que le sang y coule toujours. Quant à la Nouvelle-Guinée, seuls les ethnologues s'y intéressent et nous n'avons pas plus les moyens de communiquer avec ses habitants que nous n'en avons d'entrer en contact avec les fleurs et les arbres qui nous entourent. Ne cherchons pas si loin: il a fallu six mois avant que j'apprenne la mort de ma voisine.

Il existe aujourd'hui un mythe de la communication qui fait croire à certains que toute nouvelle instantanément retransmise, que toute situation, n'importe où dans le monde, est perçue sur le champ par les quatre milliards d'habitants de la planète, que l'avion, l'automobile, la radio, la télévision, les journaux ou le téléphone permettent à chacun de recevoir ou d'aller chercher toutes les informations qu'on dit nécessaires à la vie démocratique des peuples, voire au simple développement de l'esprit.

Certes, il est vrai que nous avons fait dans ce domaine des progrès considérables depuis quelques décennies, mais il n'en reste pas moins que la communication demeure le privilège de ceux qui savent s'exprimer et entendre (une faible minorité) et de ceux qui ont les moyens, financiers ou intellectuels, d'aller chercher là où il se trouve le renseignement dont ils ont besoin.

Le mythe de la communication, c'est aujourd'hui l'erreur fondamentale des «mondialistes», pour qui les frontières n'existent plus et les barrières linguistiques sont abolies. Ils prennent leurs désirs pour la réalité. On connaît la thèse «À l'époque des grands ensembles...»

Il n'est même pas nécessaire d'entrer dans le domaine de la politique pour débusquer la fausseté d'une pareille assertion, le domaine des communications nous éclairant suffisamment sur le sujet.

Bien sûr, il est relativement facile de nos jours de prendre l'avion et de se rendre en quelque pays afin d'entrer en contact direct avec d'autres mentalités ou d'autres façons de vivre. C'est ce que nous soulignent à l'envi les mondialistes. Mais c'est oublier que même dans les pays dits avancés, on ne trouve encore que quatre pour cent des citoyens à n'avoir jamais voyagé en avion. C'est donc une infime minorité de la population mondiale qui se déplace de la sorte. C'est oublier encore que la plupart des gens voyagent en se regardant le nombril, comme l'a fait Pierre Elliott Trudeau toute sa vie, et que lorsqu'ils se trouvent en pays étranger ils ne voient rien, ils n'entendent rien, *ils ne communiquent pas*.

Que dire du hippie qui prétend connaître le Pakistan comme le fond de sa poche parce qu'il y a passé six mois, gelé à mort, et parce qu'il n'a réussi à communiquer qu'avec le pusher de la place tout en se faisant croire qu'il faisait le même trip que les Pakistanais?

Rapprochement entre les hommes? Abolition des frontières? Quelle blague! Presque personne ne prend l'avion, et ceux qui le prennent ne communiquent le plus souvent qu'avec les autres passagers — ce qu'ils auraient fort bien pu faire à terre.

Le mythe de la communication veut encore que les média soient si puissants que personne ne puisse désormais échapper à leur influence. C'est encore oublier beaucoup de choses. C'est oublier d'abord que, malgré notre consommation fantastique de papier, la plupart des gens ne lisent à peu près rien, même pas le journal qu'ils achètent tous les jours et qu'ils se contentent de feuilleter négligemment. C'est oublier les centaines de millions d'analphabètes du monde entier, qui n'ont tout simplement pas accès à l'imprimé. Et cela ne vaut pas que pour les pays en voie de développement, notre beau Québec lui-même ne compte-t-il pas cinq cent mille analphabètes fonctionnels d'âge adulte?

C'est oublier encore que le médium le plus «facile», la télévision, ne rejoint pas le dixième de la population du monde.

C'est ignorer aussi que l'information charriée par tous les média est le plus souvent futile ou triviale, dépourvue de tout contenu significatif.

Et je suppose qu'il n'y a rien là que de très normal.

En effet, tout le monde a une envie folle de communiquer.

On se plaint constamment du manque de contact réel entre les hommes mais, si déplaisante soit la chose, il faut bien accepter une évidence, presque tragique: la plupart des gens n'ont rien à dire, la plupart des gens qui ont quelque chose à dire ne savent pas le dire, la plupart des gens ne veulent rien entendre de ce que les autres ont à dire, la plupart des gens se fichent royalement de ce qui peut se passer en dehors de leur petit monde à eux, la plupart des gens ont tant de choses à cacher qu'ils préfèrent ne communiquer avec personne de peur d'être démasqués.

Voilà la vraie et triste vérité.

Nous nous sommes donné, c'est vrai, des moyens de communication fantastiques mais, d'une part, ils ne servent qu'à une petite minorité et, d'autre part, nous les utilisons souvent si mal qu'ils ne transmettent rien du tout, ou ils ne réussissent qu'à rassembler physiquement des êtres qui n'ont, presque toujours, ni l'envie ni la capacité de communiquer entre eux.

Le médium, quel qu'il soit, n'est pas et ne peut pas être la panacée qui remplace les passions, seul véritable moteur de la communication entre les hommes. Les images et les écrits auront beau enjamber toutes les frontières, celles-ci ne seront abolies que le jour où les citoyens du monde entier auront terriblement envie, auront la *passion* de les faire sauter pour mieux se connaître et se reconnaître entre eux.

En attendant, il faut éviter à tout prix de croire que la communication n'est qu'affaire de moyens et qu'il suffit de multiplier les antennes de télévision pour que les hommes commencent enfin à se parler entre eux.

La bouche et l'oreille restent le moyen de communication privilégié des hommes; encore faut-il que parlent le cœur et la raison!

Nous,
juillet 1976

L'essentiel et l'accessoire

Deux expériences récentes m'ont démontré, si je ne le savais trop bien déjà, l'inutilité de certaines formes de communication véhiculées par les média. Dans la première, je jouais le rôle de l'intervieweur, et dans la seconde, c'est moi qui répondais aux questions.

Voyons de quoi il s'agit.

D'abord on m'appelle pour me demander de participer à l'émission *Lise Lib.* J'accepte mais en ajoutant que je n'ai rien à dire. J'aurais dû refuser mais j'accepte, par habitude, par paresse, par vanité ou parce que c'est mon métier de le faire. En partant, je suis déjà convaincu de l'inutilité de l'entreprise, aussi bien pour moi que pour les téléspectateurs.

Arrive le jour de l'enregistrement de l'émission. Je n'ai toujours rien à dire. Qu'à cela ne tienne! Il faut parler quand même. Et je parle... de sujets que je connais à peine ou auxquels je n'ai pas encore assez réfléchi. Quelques centaines de milliers de spectateurs, à l'autre bout de la ligne, me regardent, sans doute fascinés par ce moulin à paroles qui tourne à vide. Je ne peux pas m'empêcher de penser que je suis en train de perdre mon temps et de le faire perdre aux autres. Et je ne peux pas m'empêcher de m'écrier, devant une Lise ahurie: «Je n'ai pas envie d'être ici.»

Inutilité d'une certaine forme de communication!

Deuxième exemple: je suis en train d'interviewer une grande vedette française de la chanson. Je n'arrive pas à lui tirer les vers du nez et toutes mes questions n'appellent que des réponses vagues ou banales.

Finalement, je lui pose à brûle-pourpoint une dernière question: «N'avez-vous pas l'impression que ce que nous faisons là est parfaitement inutile? Je n'apprends rien de vous, vous n'apprenez rien de moi, le public ne vous connaîtra pas davantage et vous n'avez nullement besoin de ces deux pages de publicité pour remplir vos salles.»

Mon interlocuteur lève les bras en l'air et s'écrie: «Mais non, mais non, ou alors tout est inutile!»

Il m'avait accordé cette interview par habitude, par paresse, par vanité ou parce que c'était son métier de le faire. Enfoncé, comme moi, dans la routine, il avait oublié de se poser la seule question importante: à quoi tout cela sert-il?

Inutilité d'une certaine forme de communication!

J'ai voulu donner deux exemples qui me sont personnels pour tenter de mieux situer le problème, mais celui-ci est beaucoup plus vaste qu'on l'imagine communément.

Les média sont des instruments de communication; encore faut-il avoir quelque chose à communiquer.

Tel ministre qui répète pour la centième fois la même insanité la verra reproduite en manchette dans tous les journaux.

Tel journaliste qui a mille fois traité le même sujet se verra forcé de se recopier pour ne pas devoir avouer qu'il n'a plus rien à dire.

Ce sont les exigences du métier, protestera-t-on. Il faut remplir nos pages. (Comme si on ne pouvait pas publier moins de pages!) Il faut boucler une heure de télévision. (Comme si on était obligé de diffuser vingt-quatre heures par jour!) Il faut que je paraisse en public si je ne veux pas qu'on m'oublie. Il faut répéter souvent la même chose pour être compris.

Prétextes que tout cela.

On ne devrait jamais donner une conférence de presse quand on n'a rien de nouveau à communiquer au public; on ne devrait pas accorder d'interview pour faire plaisir à quelqu'un à moins d'avoir vraiment envie de lui révéler le fond de sa pensée; on ne devrait pas rapporter tel geste de tel personnage s'il n'ajoute rien à la compréhension de ce dernier ou de la situation; on ne devrait pas tomber dans le piège de la communication à tout prix.

Qu'on me comprenne bien: je ne dis pas que chaque information qu'on écrit dans les journaux ou que chaque interview qu'on donne à la radio ou à la télévision doive être «utile» dans le sens le plus étroit du mot. L'utilitarisme a toujours quelque chose d'abject, et une certaine forme de gratuité dans la parole et dans l'action peut donner à celles-ci un caractère de vérité qu'elles ne posséderaient pas autrement. D'ailleurs, certains hommes publics sont si drôles qu'il serait injuste de priver le public du spectacle qu'ils donnent, même quand ils n'ont rien à dire (*surtout* quand ils n'ont rien à dire!)

Quand je parle d'*utilité*, j'entends beaucoup de choses. Au fond, si tout le monde s'amuse, c'est utile, non? Je veux en somme que les média m'apportent information, renseignements, plaisir, détente, qu'ils me fassent rire ou pleurer, mais je ne leur pardonne pas de m'ennuyer. Je ne leur pardonne pas plus de semer en moi le désarroi en m'ensevelissant sous un monceau de nouvelles incomplètes, sous une avalanche de vieux gags qui ne font plus rire que les machines dont on se sert à cette fin, d'interviews bégayantes, de tounes insignifiantes, de photos de mariage ou d'enterrement, de tests psychologiques abracadabrants, de commentaires insouciants et futiles.

Il est aujourd'hui devenu si difficile de faire la part entre l'essentiel et l'accessoire que les média doivent prendre la responsabilité de nous fournir le plus possible du premier et le moins possible du second. Sans quoi personne ne sait plus où donner de la tête et on finit par prendre Rodrigue Biron pour un homme politique, les Expos pour un club de baseball, Vincent Prince pour un éditorialiste, Michel Pagliaro pour une chanteur rock et le Père Desmarais pour un philosophe!

Nous,
août 1976

L'information internationale

Novembre 1977. Anouar Sadate est à Jérusalem où il prend la parole devant la Knesset israélienne.

C'est un événement considérable; un bouleversement politique comme il s'en produit peut-être un tous les dix ans.

Toutes les télévisions et toutes les radios du monde sont là pour nous transmettre, en direct, les images et les sons de cet événement historique.

J'ai très hâte de voir ce qui va se passer. J'allume mon poste de télévision et je cherche à quel canal me brancher. Je n'ai que l'embarras du choix: tous les réseaux retransmettent les images d'Eurovision... *tous sauf deux:* le canal 10 et le canal 2, TVA et Radio-Canada.

Radio-Canada, imperturbable, nous offre sa deux millième messe télévisée comme s'il s'agissait d'une grande première. Quant à TVA, c'est le menu habituel et il m'est indifférent d'en connaître le détail.

Je n'ai pas le choix: c'est donc dans leur version anglaise que je connaîtrai les discours de MM. Sadate et Begin.

Petit Québec provincial qui s'en tient à sa routine paroissiale et qui, pendant que le monde tourne de plus en plus vite, fait du sur place en se faisant croire qu'il bouge!

Et pour une fois ce n'est pas la faute d'Ottawa!

Nous devons avoir le nombril bien beau, ou bien drôlement placé, pour le contempler avec tant de complaisance!

Je m'en prends à la télévision et à la radio, mais je pourrais tout aussi bien m'en prendre aux journaux; il me faudra lire les Américains, les Français ou les Anglais pour savoir ce qui s'est passé à Jérusalem ce jour-là.

Même *le Devoir* ne croit pas devoir consacrer sa première manchette à l'événement. Il nous annonce plutôt une «grande nouvelle»: le parti libéral québécois est toujours fédéraliste. Je saurai donc tout des déclarations insignifiantes de Raymond Garneau ou hypocritement partisanes de Claude Ryan avant de pouvoir prendre connaissance du discours historique du chef de la nation égyptienne.

Si c'était un accident, je le passerais sans doute sous silence. Mais au contraire, l'ignorance de la nouvelle internationale est devenue une habitude si bien ancrée au Québec qu'on ne peut plus raisonnablement ignorer un phénomène aussi réactionnaire.

Ce sont sans doute Radio-Canada et TVA qu'il faut d'abord accuser, car ce sont les deux grandes machines qui disposent de moyens suffisants pour nous ouvrir les yeux sur le reste du monde. Mais elles sont toutes deux bien au-dessous de la tâche qui devrait être la leur.

Les nouvelles TVA osent à peine dépasser, de temps en temps, nos étroites frontières, et c'est presque à contre-cœur que le service d'information du réseau nous fait parcourir le monde, à toute vitesse, une fois par semaine. D'analyses et de commentaires, il n'est point question; TVA a décidé depuis longtemps que les Québécois volaient à ras de terre et proche de leur nid, et qu'on n'allait pas les effrayer en leur faisant découvrir de plus vastes horizons.

Radio-Canada, de son côté, n'a presque plus le temps de penser aux affaires internationales, tout empêtrée qu'elle est désormais dans la vaste foire de l'unité canadienne.

Une seule exception du côté de la radio, rare et de grande qualité: *Présent international*, animé par Denise Bombardier. C'est à peu près tout. Nouvelles internationales et commentaires sont réduits à leur plus simple expression.

La télévision, pour sa part, reste aussi provinciale qu'on puisse l'imaginer. Deux correspondants à l'étranger: Comeau en Europe, et Lester aux États-Unis. Deux correspondants pour couvrir le monde entier! Ils sont peut-être plus nombreux, mais je n'ai jamais entendu parler des autres.

Mais on a son correspondant à Halifax, et son correspondant à Moncton, et son correspondant à Toronto, et son correspondant à Winnipeg, et son correspondant à Edmonton, et son correspondant à Vancouver, et son correspondant à Ottawa! Il y en a bien plus, mais ils nous racontent tant de banalités qu'on peut indifféremment les prendre les uns pour les autres.

C'est pitoyable et malsain!

Quant aux commentaires et aux analyses, on n'en a plus entendu parler depuis les beaux jours du *Point de Mire* de René Lévesque.

Québec et Canada: c'est là notre seul monde, et Radio-Canada a décidé de nous y enfermer une fois pour toutes. Quelle misère! Si c'est là que doit conduire le nationalisme, eh bien je suis prêt à renier sur-le-champ l'action de toute ma vie!

Mais Radio-Canada a consacré neuf heures d'antenne à ce «grand événement international» qu'est la semaine de la Coupe Grey! Et combien d'heures d'antenne consacrées à ces «grands événements internationaux» que sont les matches de football américain? Et combien d'heures d'antenne à ce «grand événement international» qu'est la Commission Pépin-Robarts? Et combien d'heures d'antenne à ce sport proprement «international» qu'est le baseball américain implanté depuis peu en territoire montréalais? Télévision colonisée, provinciale, régionale, paroissiale!

Le terrorisme international? L'Allemagne et l'Italie aux prises avec les terroristes les plus audacieux et impitoyables du monde? Cela ne nous intéresse pas. Nous pouvons très bien nous contenter des minables de l'affaire Marion.

La crise du pétrole? Bah! Nous avons plein d'électricité!

Les prisons de Pinochet? Aucune importance; occupons-nous de Parthenais!

Les élections en Grèce? Où ça? Pas le temps. Nous en avons plein les bras avec notre référendum.

La misère du Tiers-Monde? Il ne faut quand même pas charrier! N'avons-nous pas nos propres pauvres et ne nous a-t-on pas appris que «charité bien ordonnée commence par soi-même»?

L'OLP, c'est quoi? Le Marché commun, c'est quoi? Les Nations-Unies, c'est quoi? Les accords SALT, c'est quoi? L'apartheid, c'est quoi? Le Cambodge, c'est où? La Rhodésie, c'est-y en Amérique latine?

Parlez-nous de Rimouski et de Saint-Gabriel de Brandon. Ça, c'est intéressant! Entre nous, on se comprend, au moins!

Vive la réserve du Québec!

Tous les média, sans exception, sont coupables. Mais il n'est peut-être pas trop tard pour s'en sortir. Encore faudrait-il en avoir la volonté. Je n'en suis pas absolument certain, mais j'ai l'impression que je ne suis pas le seul Québécois à penser de cette façon.

Être Québécois, cela ne voudrait-il pas également dire «voir le monde à travers nos propres yeux»! Ou devrais-je éternellement me contenter de ne contempler le monde que dans le miroir de la NBC ou de *l'Express*?

Nous,
février 1978

Compétence, courage et censure

Les mois et les années qui viennent seront, me semble-t-il, extrêmement difficiles pour les journalistes, aussi bien de la presse écrite que de la presse parlée. Des forces considérables, auxquelles ils ne sera pas facile de résister, vont se liguer contre eux. On voudra les séduire, les acheter ou les museler. Ils ne pourront évidemment compter que sur eux-mêmes pour défendre leur liberté et celle de l'information.

Dans la période de crise que nous traversons, crise qui ne fera que s'accentuer dans un proche avenir, chacun voudra faire passer, d'abord et avant tout, sa propagande. Certains voudront empêcher qu'on diffuse l'information réelle. D'autres, plus malins encore, tenteront tout simplement de tuer certains média d'information plutôt que de les voir servir à diffuser une autre vérité que la leur.

Le public, comme toujours, restera très probablement indifférent.

Comment les journalistes se défendront-ils? Comment réussiront-ils à rester libres malgré tout? Il faut se le demander aujourd'hui, avant d'être engagé dans la spirale infernale où les gestes spectaculaires ne peuvent jamais dépasser la mesure du vécu quotidien. Tant il est vrai que c'est l'apprentissage quotidien de la liberté qui permet aux hommes et aux femmes de rester libres en période de crise... même en prison.

On sait déjà que la profession, au Canada et au Québec, est fort mal protégée par nos lois. N'importe quel petit politicien véreux de province peut traîner devant le tribunal un journaliste dont la tête ne lui revient pas.

Ajoutons à cela que les grands propriétaires de journaux ne se contentent pas de faire de l'argent; ils veulent encore répandre leurs idées. N'ayant, pour la plupart, aucun talent pour le faire, ils se servent souvent des journalistes comme des mercenaires qu'ils peuvent manipuler à leur gré. Inféodés aux grands pouvoirs politiques et aux pouvoirs d'argent, ils peuvent déployer une force considérable contre laquelle le journaliste est trop souvent démuni.

Que faire?

Il faut évidemment, et de toute urgence, que les journalistes essaient par tous les moyens de conquérir par voie de législation les moyens juridiques de protéger leur liberté et celle de l'information. Le temps pour ce faire est on ne peut plus mal choisi; les résistances seront farouches. Mais c'est aussi le temps ou jamais. Il faut le faire; faisons-le!

Mais ne nous faisons pas d'illusions. En période de crise, le pouvoir, quel qu'il soit, se place presque automatiquement au-dessus de la loi et nous en avons trop d'exemples récents chez nous pour en douter. Les censures s'abattent et on change les lois rétroactivement pour les justifier. À ce propos, les agissements de la GRC et du gouvernement fédéral sont on ne peut plus éloquents.

Ne sous-estimons pas les adversaires de la liberté. Chez eux, la fin justifie toujours les moyens et *ils ont les moyens de leurs fins*.

Aussi faut-il nous rabattre sur des vertus plus

abstraites, voire même décriées en certains milieux: la compétence et le courage. Ce sont les seuls remparts sûrs.

Naïveté, me direz-vous? Je ne crois pas. L'histoire nous a trop souvent démontré que quand tous les moyens ont été épuisés, il ne reste que cela. Et c'est par cela que la liberté et les libertés ont réussi à survivre malgré tous les outrages qu'on leur a fait subir.

La compétence: il arrive trop souvent que des journalistes ne soient pas compétents. Il est dès lors facile pour les censeurs de frapper. Un texte mal écrit, un fait mal vérifié, et hop! à la poubelle. L'information est peut-être juste, la rumeur pourrait peut-être s'avérer, mais voilà que le petit défaut fait crouler tout l'édifice. Certains journalistes, souvent les plus incompétents, parlent toujours de censure, même quand elle n'existe pas. Mais certains censeurs ont beau jeu de sabrer dans des textes qui, de toute évidence, ne sont pas à la hauteur de la profession.

Mais il est beaucoup plus difficile de censurer, sans être odieux, le journaliste compétent.

Le courage: ce beau mot a été bien galvaudé et ce qu'on prend souvent pour du courage n'est que le geste vaniteux et spectaculaire mal déguisé.

C'est pourquoi j'insiste tellement sur la pratique du courage quotidien, humble et méconnu de presque tous.

Pour le journaliste, c'est d'abord et avant tout le courage de ne pas s'autocensurer. Cette autocensure qui est le poison le plus perfide de la profession! On ne dit pas ou on n'écrit pas telle ou telle chose parce qu'on pense que le patron n'aimera pas cela, ou que quelque politicien va mal réagir, voire même qu'un confrère s'en offusquera. La peur du ridicule. La peur de perdre son emploi.

Encore là, les censeurs ont beau jeu. Ils n'ont qu'à

hurler une fois de temps en temps («Je mettrai la clef dans la boîte», dixit Trudeau) pour faire taire les voix les plus généreuses. Pas de sévices, pas de mises à pied, pas de censure officielle. À quoi bon? La docilité fait bien les choses.

L'autocensure compte pour une très grande partie de la censure de nos média d'information. Le premier courage veut qu'on ne la pratique pas.

Si on sait dépasser l'autocensure, on réussira plus facilement à combattre les censures officielles qui ne fleurissent que sur la lâcheté des uns et des autres.

Les lois, si bien faites soient-elles, ne sauraient protéger le journaliste lâche. Elles peuvent même servir à le mieux perdre.

Le courage de résister. Le courage de dénoncer. Le courage de démissionner. *Le courage d'écrire et de parler.* Le courage de se retrouver sans travail. Le courage de se retrouver en prison.

C'est beaucoup demander. On n'en peut demander moins à ceux et celles qui ont délibérément choisi de se retrouver en première ligne.

Souvenons-nous toujours que la profession ne sera protégée que par nous-mêmes, et que la liberté ne sera défendue que par ceux qui préféreraient mourir plutôt que d'en être privés.

On croira que je dramatise. Attendez un peu pour voir. On s'en reparlera dans quelques mois... quand il ne restera plus que le courage pour désarmer nos maîtres.

Nous,
juillet 1978

Les alternatives

Beaucoup de jeunes, aujourd'hui, rêvent d'envahir le champ des média de communication. Certains, plutôt rares il faut l'avouer, veulent s'intégrer aux grandes institutions traditionnelles: *la Presse*, Radio-Canada, *le Devoir*, Radio-Québec peut-être et, pourquoi pas? *le Journal de Montréal*.

Mais beaucoup plus nombreux sont ceux et celles qui repoussent avec véhémence cette idée en espérant plutôt participer à des entreprises parallèles de presse, de radio ou de télévision qu'ils appellent — faussement — alternatives.

On les comprend facilement: ils ne trouvent pas, dans les grands média, ce qu'ils attendent. L'information qui pourrait leur être destinée, et qui répondrait à leurs intérêts et à leurs aspirations, est à peu près inexistante. Ils n'y trouvent pas leur façon de voir les choses. Ils y dénoncent, parfois de façon exagérée, l'absence de critique à l'égard des institutions. Ils y découvrent des censures, parfois réelles, parfois imaginaires.

Bref, ils leur trouvent un tas de défauts et se refusent presque systématiquement à voir leurs qualités.

Inutile de les juger. Il faut les prendre tels qu'ils sont, tel que nous fûmes peut-être, et, pourquoi pas? tels que nous serions sans doute encore si nous n'avions pas vieilli prématurément.

Au fond, ils ont envie d'inventer quelque chose de neuf. Qui saurait les en blâmer?

Ce qui ne doit pas nous empêcher de porter un jugement aussi juste que possible sur les média dits parallèles.

Malheureusement, le bilan est triste. Mises à part quelques entreprises de qualité, trop peu nombreuses, nous voyons apparaître et disparaître des douzaines d'entreprises qui, le plus souvent, n'auraient jamais dû voir le jour.

Pourquoi? Tout simplement parce qu'elles ne sont animées que de bonnes intentions et d'une incommensurable vanité. On se prend beaucoup pour d'autres en ce milieu où on refuse, par principe, l'apprentissage du métier.

On ne veut pas être «récupéré», ce qui est fort bien. Mais sous prétexte de ne pas vouloir baigner dans l'insignifiance la plus totale, à la Vincent Prince ou à la Jean Pellerin, on écrit n'importe quoi n'importe comment. On parle une langue lâche, imprécise, hésitante, bourrée de non-sens et de contradictions. On se contente d'images tremblotantes et floues, on érige en principe l'incohérence et le bâclé (refus de l'esthétisme), on se complaît dans un narcissisme de pacotille.

Résultat? On ne *vend* pas dans le sens le plus noble du terme. Et si personne ne regarde, écoute ou lit, on s'en prend à ce méchant système qui empêche la diffusion des chefs-d'œuvre.

Je serai méchant.

Question: Pourquoi le cinéma québécois a-t-il si peu de succès?

Réponse: Parce qu'il n'est pas bon.

Ma réponse n'inclut pas, bien sûr, les trop rares exceptions.

Cinéma parallèle? Mon œil! Cinéma mal foutu, point!

Et cette réponse vaut pour la plupart de ces nobles

entreprises construites sur le sable.

Je ne me réjouis pas, bien au contraire. J'enrage de voir les plus belles causes, auxquelles j'adhère profondément, prônées et défendues de façon si lamentable.

J'enrage de voir que la meilleure publication de gauche ne vaut pas la plus moche publication de droite.

J'enrage de voir tant de talent gaspillé alors qu'il faudrait si peu pour qu'il fût employé à bon escient.

On invoquera, bien sûr, le manque de moyens. Ce n'est pas faux mais c'est un peu court.

Ce ne sont pas les moyens financiers qui manquent le plus; ce sont les moyens intellectuels. On ne se donne pas les armes qu'il faut; on refuse d'accepter les contraintes inéluctables; on n'a que mépris pour la plus élémentaire compétence; on se contemple en se convainquant que les autres ne comprennent pas.

Mais peut-être comprennent-ils trop bien. Qu'il n'y a rien à comprendre.

Ce qu'il faut savoir en ce milieu c'est que la «marginalité» a besoin des meilleures armes possibles si elle veut se démarginaliser. Il faut donc commencer par apprendre à se servir des meilleures armes des «autres».

Je n'ai aucune pitié pour le combattant qui insiste pour se battre avec des flèches contre des canons alors même que ces derniers pourraient lui être disponibles. Ce qu'il faut savoir, c'est que l'essence n'est pas dans le canon mais dans l'objectif poursuivi par celui qui le manie.

C'est se vouer systématiquement à l'échec que de vouloir réinventer tous les instruments chaque fois qu'on s'imagine avoir une idée nouvelle à promouvoir. Je l'ai déjà dit ailleurs: il n'est pas nécessaire de réinventer le piano pour faire une musique différente de celle qu'écrivait Beethoven. Il n'est pas besoin de réinventer l'imprimerie pour faire un journal «parallèle». Moi, je rêve plutôt d'un journal nouveau, «alternatif» si l'on veut, qui aurait toutes les qualités de *la Presse* sans en avoir les défauts.

Et je rêve plutôt d'un film québécois qui aurait toute la séduction d'un film américain commercial tout en véhiculant un message différent.

Quoi qu'on en dise, on ne parle pas et on n'écrit pas pour soi-même. On veut être lu et on veut être entendu. Pourquoi ne pas en prendre les moyens?

J'enrage, pour ma part, de voir qu'on s'en prend plus aux moyens qu'au contenu, qu'on dénonce la forme chez les autres pour mieux masquer l'absence de contenu chez soi.

Je me fous de la forme, pourvu qu'elle soit efficace.

Les média parallèles ont tout intérêt à adopter dans un premier temps des formes éprouvées pour faire passer un message nouveau. Et quand ce même message sera devenu, à son tour, éculé, on pourra dès lors songer à inventer de nouvelles formes.

La compétence d'abord. Le reste suivra.

Nous,
mai 1979

Comprendre la musique

Se chicanera-t-on si j'affirme que le disque est devenu de nos jours un important médium de communication?

Omniprésent, il explose tous azimuts, et les messages qu'il transmet sont si complexes et si variés que l'embarras du choix devient, pour la plupart d'entre nous, la règle plutôt que l'exception.

Ajoutons que depuis quelque temps le disque québécois a fait des progrès étonnants et nombreux sont ceux qui, parmi nous, las du ronflement des politiciens et de la prétention des commentateurs de radio ou de télévision, excédés par le cours magistral du professeur ou des dirigeants de la Chambre de Commerce, cherchent à découvrir sur cette mince feuille de plastique une vérité qu'ils peuvent partager aisément avec quelques milliers d'autres personnes qui sauront éventuellement se reconnaître.

Ajoutons encore que le disque de qualité — celui qu'on aime vraiment — reste l'une des denrées les moins dispendieuses de notre société de consommation. En effet, malgré des hausses de prix répétées, malgré les revenus exorbitants des grandes vedettes et malgré les profits abusifs des grandes compagnies, c'est à bon compte en somme que le disque (si on le compare à d'autres produits) nous procure quelque plaisir.

Pour ma part, quand j'achète un disque bien fait et selon mon goût j'ai toujours l'impression «d'en avoir pour mon argent».

Le disque a un avantage sur les autres moyens de communication: il permet le dialogue de soi à soi.

Je m'explique.

Je ne reçois de la télévision, de la radio ou des journaux que les messages qu'on veut bien me transmettre et au moment où on le juge à propos. Je ne choisis pas la nouvelle qui éclate en manchette et si quatre stations de télévision m'offrent en même temps la même partie de hockey, je n'ai plus qu'à tourner le bouton.

Mais il n'en va pas de même avec le disque. Celui-ci me permet en effet, selon mes humeurs ou selon mes besoins, de *choisir* ce que je veux entendre. On ne m'impose plus un message; j'écoute mes voix intérieures qui exigent qu'on leur réponde de telle ou telle façon, je fouille dans ma collection et hop! le disque me renvoie ma propre image mieux que ne sauraient le faire tous les miroirs ou tous les interlocuteurs du monde.

Je suis déprimé? Qu'à cela ne tienne. J'ai toute une collection de musiques déprimantes qui, si j'en ai envie, accompagneront ma descente aux enfers. Mais j'ai aussi nombre de disques optimistes-et-entraînants qui réussiront peut-être à me redonner goût à la vie.

Mes amours sont-elles défaillantes? Qu'à cela ne tienne. Serge Reggiani saura bien me convaincre que je ne suis pas le seul à vieillir dans ma solitude ou Dalida me rappellera qu'on peut aimer à tout âge et qu'il suffit d'être amoureux pour attiser chez l'autre quelque flamme assoupie.

On cherche souvent chez les autres une justification à ce qu'on est, à ce qu'on ressent, à ce qu'on désire. Or, rien ne réussit mieux que le disque à nous procurer toutes les justifications dont nous puissions avoir besoin.

Bien sûr, on m'objectera que le livre sert souvent les mêmes fins. C'est vrai. Mais le disque est d'accès plus facile et plus immédiat, et si on hésite à relire en entier un auteur qui justifie nos vices les plus crapuleux et nos comportements les plus aberrants, on cède pourtant facilement à la tentation de se donner raison à soi-même en se servant de ceux-qui-font-trente-trois-tours-et-puis-s'en-vont.

Même la bluette la plus insignifiante raconte une histoire qui fait rêver ou irradie son message de joie ou de douleur vers les fonds les plus abstraits de notre inconscience.

Certains messages sont clairs et faciles d'accès. Ils peuvent influencer toute une génération. Ce sont ceux de Dylan, des Rolling Stones, de Charles Trenet, de Beau Dommage, de Tchaïkovski.

D'autres sont plus complexes, plus vastes et plus difficilement compréhensibles: Ravel, Ferré, Miles Davis, Bach, Maneige, Joan Baez, etc. La subtilité de leurs propos échappe souvent à la plupart des auditeurs.

Mais message il y a, dans tous les cas, et contrairement à ce qu'on pourrait croire, la conversation ne se fait pas à sens unique puisque l'auditeur peut toujours choisir son interlocuteur et mener le dialogue comme il l'entend.

Mais le disque, malgré toutes ses qualités, n'élimine pas toutes les difficultés de la communication réelle.

On a l'habitude d'entendre, depuis que la musique existe, certaines gens affirmer que celle-ci est le moyen de communication idéal, qu'elle transcende les cultures, qu'elle abolit les frontières et autres stupidités du même genre.

L'apparition du disque et sa diffusion massive n'a fait que perpétuer ce mythe en l'élevant au rang de vérité absolue et incontestable.

Or rien n'est plus faux.

La musique, pas plus que la parole, ne peut être

comprise par tout le monde de la même façon. La subtilité d'un trille de Mozart qui n'échappera pas à l'étudiant du Conservatoire laissera tel autre complètement indifférent. La filiation classique, voire baroque, des Beatles ne provoque pas le moindre plaisir chez la plupart de leurs auditeurs. La synthèse musicale que réussit Beau Dommage (qui va bien au-delà de toutes les imitations rétro à la mode du jour; ce groupe n'a-t-il pas réussi à inventer le seul nouveau «son» depuis les Rolling Stones?) est inaccessible au plus grand nombre qui se contente de «tripper» sur l'apparente facilité de la mélodie.

Il faut *savoir* pour comprendre. Et plus on *sait* plus on éprouve de plaisir. Il faut connaître le chinois pour en savourer toutes les subtilités. De même faut-il connaître le langage musical pour apprécier vraiment «le Sacre du Printemps».

Or, la plupart de ceux qui écoutent de la musique ne sont conscients que des sons et des bruits. Ils écoutent une symphonie de la même manière qu'ils écouteraient un discours dans une langue qu'ils ne connaissent pas. Ils peuvent bien être sensibles au rythme de la phrase, à l'intensité du son ou à l'élégance de la présentation, mais ils ne *savent pas* ce que dit l'orateur et ne *comprennent pas* son message.

C'est pourquoi la même musique peut être perçue de mille façons différentes par mille auditeurs différents. Elle peut provoquer des «vibrations» plus ou moins communes, elle ne provoque ni la communication, ni la compréhension mutuelles.

À cela il faut ajouter que le message, quel qu'il soit, est toujours déformé par celui qui le reçoit. La perception est toujours mensongère car on ne peut percevoir qu'à travers ce qu'on est ou ce qu'on est devenu. On écoute avec ses préjugés, ses ignorances, ses convictions, ses goûts, ses espoirs, ses rêves, ses connaissances, sa *culture*. Comment dans ce cas la musique pourrait-elle, plus que les autres langages, abolir les frontières? Ce n'est là qu'une apparence propre à ne séduire que les esprits les plus superficiels.

Si le disque nous permet de nous parler à nous-mêmes, il ne peut en aucun cas servir de support à la communication universelle. La musique n'est pas une panacée, et le disque n'est pas l'espéranto des nouvelles générations.

Nous,
avril 1976

Un peu de tout

Entr'deux joints

Dans le premier tome des Écrits polémiques, *on a pu lire un texte politique intitulé: «Entre deux joints». Or, quelques mois après avoir écrit ce texte, Robert Charlebois me demanda de lui écrire une chanson. Le même thème me traversa alors l'esprit et j'écrivis cette chanson qui connut un certain succès. La voici.*

Et voici comment on passe du politique au culturel, si on veut bien y voir une différence...

Tout ça a commencé
Sur les plaines d'Abraham
La chicane a pogné
T'as mangé ta volée

Mais depuis ces temps-là
T'as pas beaucoup changé
J'te trouve ben magané
Pis encore ben pogné

Entr'deux joints
Tu pourrais faire quequ'chose
Entr'deux joints
Tu pourrais t'grouiller l'cul

Ta sœur est aux États
Ton frère est au Mexique
Y font d'l'argent là-bas
Pendant qu'tu chômes icitte

T'es né pour un p'tit pain
C'est c'que ton père t'a dit
Chez les Américains
C'pas ça qu't'aurais appris
Entr'deux joints...

Yt'reste un bout à faire
Faut qu't'apprennes à marcher
Si tu fais comme ton père
Tu vas te faire fourrer

Ah j'sais qu't'es en hostie
Pis qu't'en as jusque-là
Mais tu peux changer ça
Vit' ça presse en maudit
Entr'deux joints...

T'as un gouvernement
Qui t'vole à tour de bras
Blâme pas l'gouvernement
Mais débarrasse-toi'z'en

Couche-toi pas comme un chien
Pis sens-toi pas coupable
Moi j'te dis qu't'capable
C'pays-là t'appartient
Entr'deux joints...

T'as pas besoin d'crier
T'as just'à t'tenir debout
Ça sert à rien de brailler
Mais faut qu't'ailles jusqu'au bout'

T'as rien à perdre vois-tu
Parce qu'ici au Québec
Tout commence par un Q
Pis finit par un bec (BIS)
Entr'deux joints...

Grouille grouille grouille-toi l'cul oh bébé
Grouille grouille grouille-toi l'cul oh bébé.

Éditions Conception 1973
Capac
Barclay 80173

Pierre Bourgault et
Robert Charlebois

René Simard

Le «petit» René Simard ne fut pas fabriqué par les média. Il avait tant de talent, il passait la rampe avec tant d'aisance et il était déjà si «professionnel» qu'il n'avait nullement besoin des petits journaux à potins pour le lancer dans la voie d'une carrière fulgurante. Les média, en somme, n'avaient qu'à suivre. Ils n'avaient qu'à se rendre à l'évidence.

Les média prennent leur revanche. Le «petit» René Simard les avait devancés d'un nez mais ils l'attendaient au détour. Ils se sont donc emparés du «grand» René Simard et j'ai bien peur qu'ils soient en train de gâcher un des plus beaux talents naturels qui soient pour en faire une marionnette parfaitement insignifiante.

Je n'en veux pour exemple que *The René Simard Show*, produit et réalisé par la CBC de Toronto. Il faut que le talent de René Simard soit bien grand pour résister à pareille cuisine.

Le show est bien dans l'esprit torontois: c'est-à-dire faire américain à tout prix. On se soucie fort peu que Simard soit québécois (on s'incline pourtant devant le folklore jusqu'à lui faire prononcer quelques mots de français de temps en temps) et que l'équipe de production soit, en principe, canadienne; puisqu'on a de si bons modèles américains, pourquoi ne pas les imiter, après tout, non? Et c'est ce qu'on fait à l'envi. Du Canada, on ne retient que cette nouvelle vulgarité torontoise qui, après avoir envahi la rue Yonge, commence à s'étaler sur nos petits écrans.

Et puis, comme Simard est maintenant un grand adolescent de seize ans, on ne sait plus trop bien si on doit le traiter en adulte ou en enfant. Et plutôt que de choisir, on a décidé de faire les deux: d'un côté, les petites filles de quatorze ans à qui on a intimé l'ordre de crier, de pleurer et de faire semblant de s'évanouir (comme dans l'ancien temps), et de l'autre les chanteuses et les danseuses de trente ans qui doivent faire semblant de se pâmer pour ce bel adolescent qu'elles préféreraient sans doute baigner que baiser.

On a les «sex symbols» qu'on peut, n'est-ce pas? Toute la beauté de l'adolescence ravalée au niveau des fantasmes sexuels d'un réalisateur qui a sans doute vécu la sienne à se masturber sur de vieux exemplaires de *Playboy*!

Quant à René Simard lui-même, il est méconnaissable. Il sourit plus que Donny (du show *Donny and Marie*) — et ce n'est pas peu dire. Il sourit bêtement, sans raison, parce qu'on lui a dit que c'était ça, le show-business.

Comme son gérant nous avait annoncé qu'il avait appris à danser, eh bien! on le fait danser. Mais alors, ou bien le petit n'a pas de talent de danseur ou bien son professeur était cul-de-jatte. Lui qui *bouge* si bien quand il ne danse pas, devient tout à fait artificiel quand il le fait.

La voix. Elle est moins belle qu'autrefois mais elle reste une très bonne voix à tout faire, dans le meilleur sens du terme. Malheureusement, on lui fait justement tout faire — dans le pire sens du terme: un répertoire tout à fait insignifiant, et américain, évidemment, puisque c'est tout ce qu'on connaît au Canada anglais.

Et puis quelqu'un, quelque part, a sans doute conclu que pour exciter les autres, il fallait d'abord s'exciter soi-même. Alors on a commandé à Simard de s'exciter. Il s'excite donc. Ce qui fait qu'il a l'air d'un excité!

Et c'est bien dommage.

Et on se prend à rêver que René Simard vieillira assez vite pour se reprendre en main lui-même avant que tous les manipulateurs qui l'entourent aient réussi à en faire un «gars de club» de troisième ordre.

Car c'est bien de cela qu'il s'agit. Ce n'est pas René Simard, dont le talent est remarquable, qui est en cause, ce sont toutes les sangsues quétaines qui gravitent autour de lui et qui sont bien décidées à en tirer tout ce qu'elles peuvent *pendant que ça dure*.

René Simard, à seize ans, a réussi ce que bien peu de gens peuvent compter réussir dans toute une vie. C'est une grande star et une star authentique. Il a été manipulé depuis ses tout premiers débuts mais il avait tant de force naturelle qu'il réussissait, malgré tout, à laisser percer sa personnalité. Mais le danger est grand aujourd'hui qu'il soit écrasé sous le poids de la-machine-à-faire-des-stars qui ne vaut que pour les gérants qui ont décidé de faire une piastre vite avec un sous produit insignifiant de la culture américaine.

Quand on est René Simard, on a le droit de vouloir être riche, mais on a aussi le devoir d'aller plus loin et ailleurs pour enrichir les autres de son immense talent.

On a le devoir (surtout envers soi-même) de rester ce qu'on est. René Simard n'a aucun intérêt (et nous non plus) à se rabaisser au rang des minables qui l'entourent. Talent oblige! Il vole trop haut pour retirer quoi que ce soit de ceux qui volent à ras de terre.

Peut-être n'en est-il pas encore conscient, mais il doit apprendre au plus tôt que quand on est fait (comme lui) pour les ligues majeures, il faut savoir sortir à temps des ligues mineures, sans quoi on risque d'y traîner inlassablement sa vie.

J'ai presque envie de lui dire, sur un ton très paternaliste: «Vise plus haut, René, tu as tout ce qu'il faut pour y arriver. Mais n'oublie pas que pour ce faire il te faudra abandonner un paquet de gens qui ne te vont pas à la cheville. Même si tu les aimes...»

Nous,
décembre 1977

Fragile et féroce Geneviève Bujold

Un soir que je recevais à dîner chez moi, Geneviève Bujold s'amena vêtue d'une longue robe d'un rouge éclatant sur laquelle elle avait jeté une ample cape de même couleur. L'image était spectaculaire et par trop redondante dans ce dîner qui se voulait simple. Nous ne tardâmes pas à connaître la raison de ce «déguisement»: son père venait de se remarier l'après-midi même et elle sortait tout droit de la cérémonie.

Geneviève nous apprit donc que, l'événement n'étant pas de son goût, elle avait décidé d'éclipser littéralement la mariée.

«Tout le monde me regardait, personne ne l'a vue, *elle*», déclara-t-elle, l'œil brillant de vengeance et de contentement.

Juste retour des choses ou justice immanente? Quelqu'un, quelques instants plus tard, renversait sur sa belle robe rouge un beau grand verre de vin qui, pour être rouge, ne faisait pas moins contraste.

Voilà une anecdote qui en dit long sur ce petit monstre merveilleux et attachant qui s'appelle Geneviève Bujold depuis maintenant plus de trente-cinq ans.

Elle a du caractère, la Bujold! Frémissante d'ambition et d'orgueil, froide calculatrice de ses intérêts, rageuse devant les obstacles, accablante pour ses adversaires, elle poursuit ses objectifs avec une froideur hautaine qui n'exclut ni la passion déchirante ni la tendresse la plus spontanée.

La voilà donc aujourd'hui exilée en cette Californie où elle se sent bien, un peu à cause de la mer et du soleil qui répondent à sa sensualité de Québécoise frileuse, beaucoup à cause des soleils artificiels mais non moins chauds d'une Hollywood démesurée qui répond bien mieux à sa gourmandise de Québécoise ambitieuse.

Elle a fait du chemin depuis le temps où elle animait des émissions-jeunesse à Radio-Canada tout en apprenant son métier de comédienne au théâtre et au cinéma.

Elle a toujours eu cette tête de petite bête à la fois apeurée et féroce. Mais il y a quinze ans c'est la peur, parfois même la panique, qui prenait le dessus sur la férocité. Une panique qui l'a accompagnée jusque sur les lieux du tournage du film qui l'a définitivement lancée, *Anne of a Thousand Days*, et qui lui valut d'être mise en nomination pour un Oscar.

Il s'en fallut de peu qu'elle ne le tournât jamais. N'eût été l'encouragement chaleureux de Richard Burton qui sut la convaincre de rester et de se battre plutôt que de fuir, elle serait rentrée à Montréal par le premier avion pour se réfugier dans cette apparente fragilité et dans cette vraie vulnérabilité qui lui donnent à l'écran une transparence presque palpable.

Le défi était de taille; elle le releva. Sa carrière était lancée. Elle fut dès lors convaincue qu'elle avait ce qu'il faut pour être une star et elle n'a pas cessé depuis d'organiser systématiquement sa vie pour y arriver.

Elle tourne régulièrement en France et au États-Unis et se dit toujours prête à revenir au Québec, en tout temps, pour y réaliser quelque projet intéressant.

Elle a fait des films qui marchent bien en compagnie de grandes stars qui se vendent bien. Et pourtant elle attend toujours *le* film qui la consacrera définitivement. Elle ne fait pas que l'espérer; elle consacre une grande partie de ses énergies à chercher le filon miraculeux qui la propulsera au premier rang.

Elle y serait déjà probablement arrivée si cette maudite peur qui la tenaille encore ne venait souvent briser ses beaux élans. Est-ce pour se prouver qu'elle n'a plus peur qu'elle fonce souvent à l'aveuglette à travers gens et choses, au risque même non seulement de les briser mais de se briser elle-même? Peut-être.

Mais ce qui semble plus vrai, c'est qu'elle est aux prises avec des passions contradictoires qui ne cessent de se combattre: une détermination farouche, une langueur abyssale; une sensualité à fleur de peau, une mécanique d'horlogerie; l'amour, la carrière; la froideur jusqu'au mépris, la tendresse jusqu'à la sentimentalité.

Toutes les passions de la femme conquérante et supérieure derrière une visage qui se refuse à vieillir et qui lui donne toujours, malgré les ans, malgré les rôles, malgré la vie, des airs de couventine égarée.

Geneviève Bujold ne porte pas en elle-même plus de contradictions que n'importe qui d'entre nous, mais elle les vit avec tant d'intensité que la complexité du personnage apparaît vite déroutante à l'observateur non averti.

Des hauts et des bas soudains, des virages inattendus, des changements à vue. Et pourtant une constance dans l'effort, un fil conducteur qui la mène inéluctablement vers l'objet de son désir — fût-il homme, personnage ou argent.

«Je serai millionnaire à trente-cinq ans», me disait-elle il y a quelques années. C'est évidemment le rêve de tous les enfants élevés dans la parcimonie mais Bujold, elle, ne fait pas que rêver. Elle ne fait pas que souhaiter être riche, elle y parvient. Elle ne fait pas que désirer un homme, elle le conquiert. Elle ne fait pas que rêver d'Hollywood, elle s'y rend. Elle ne fait pas que parler de son talent, elle le démontre. Elle ne fait pas qu'aimer la vie, elle vit.

On lui reproche d'être distante? Elle ne le niera pas. Elle n'a pas besoin de beaucoup de monde autour d'elle. Elle en a presque toujours assez. Et si quelqu'un vient à lui manquer, elle se réfugie en son fils qu'elle aime de façon immodérée. Mais elle vous répondrait: «Pourquoi pas?»

On la dit intelligente? Elle l'est assurément. Curieuse, rapide, méthodique, tranchante. Avec elle on n'a pas besoin de finir ses phrases; elle perçoit déjà très bien la fin de ce qu'on croit n'être qu'en cours. La réponse est d'ailleurs toute prête et ne s'embarrasse pas de détours. Une intelligence à facettes, à la fois intuitive et analytique, pour ne pas dire comptable. Une intelligence qui, d'autre part, n'en finit plus de s'adonner à l'introspection. Bujold n'a rien d'une introvertie mais elle résiste mal à la tentation de ces grands retours sur soi-même, de ces grandes remises en question qui, pour elle comme pour la plupart d'entre nous, ne font que la confirmer dans ses vices et ses vertus. Mais pourquoi pas, une fois de temps en temps, se payer le plaisir de se regarder vivre en s'imaginant qu'on puisse y changer quelque chose?

On lui reconnaît beaucoup de talent et non sans raison. On lui prête facilement de l'autorité et du tempérament. Elle est sans doute faite pour jouer Médée, mais comment transformer ce beau visage de jeune fille en celui d'une furie aux humeurs assassines? Faudra-t-il attendre que le visage se ride un peu, qu'il se fane ne serait-ce que temporairement, pour qu'il puisse réussir à faire passer plus efficacement les ravages de l'âme? C'est sans doute une question que Geneviève se pose, elle qu'on doit vieillir artificiellement aussitôt qu'elle joue les rôles de son âge.

On la croit immuable et pourtant moi je la sais capable des plus belles folies.

On l'imagine facilement cynique alors que ce n'est que pour se protéger qu'elle se fait parfois cinglante.

On la voudrait parfois plus simple; c'est oublier qu'elle ne l'est qu'avec les intimes avec qui elle se sent en confiance et qu'elle croirait manquer de pudeur en jouant la simplicité pour la galerie.

Elle est trop sérieuse? Oui, c'est vrai. Moi aussi je trouve qu'elle ne rit pas assez, qu'elle ne «se laisse pas aller» assez souvent. Mais je sais aussi qu'elle ne rit pas pour rien; quand elle le fait, c'est pour vrai et le personnage s'efface alors derrière la personne. Et vous ne le savez peut-être pas, mais elle peut aussi être très drôle, surtout si elle a quelque malheur à raconter.

Je pense qu'il y a deux sortes de gens qui cherchent la célébrité: ceux et celles qui la veulent pour être connus de tous et, espèrent-ils, s'en rapprocher; et ceux et celles qui y aspirent pour s'en faire une barricade contre les intrus. C'est sans doute cette dernière hypothèse que privilégie Geneviève Bujold. Non pas qu'elle soit misanthrope mais tout simplement parce qu'elle privilégie certaines gens et certaines choses auxquelles elle voudrait pouvoir consacrer tout son temps. Elle vit de grandes passions, elle ne peut pas en vivre beaucoup.

Elle veut à tout prix réussir sa carrière mais elle croit possible de ne pas avoir à sacrifier sa vie pour y arriver. Parfois elle arrive à concilier les deux, parfois l'une ou l'autre l'emporte à son grand désarroi. Mais elle pousse toujours, et toujours dans le même sens. Jusqu'où et vers quoi exactement? Le saura-t-elle jamais?

Il y a plus de quinze ans que je connais Geneviève Bujold. Connaître, c'est beaucoup dire. Je m'aperçois maintenant, lorsqu'il me faut parler d'elle, qu'elle me reste plus mystérieuse que je l'imaginais.

Restera-t-elle toujours introuvable? Quelqu'un l'a-t-il déjà trouvée? Quelqu'un la cherche-t-il encore?

Nous,
avril 1979

Le petit homme devenu grand

Il est tout petit. Dans une foule, on le perdrait facilement. C'est sans doute pour s'assurer que pareil sort ne lui soit réservé qu'il a, un jour, décidé de se grandir, non pas en se juchant sur des cothurnes mais en montant sur une estrade où, sous son projecteur, on n'aurait plus d'yeux que pour lui. Plutôt que d'un pied, il a préféré se grandir d'une tête. Et il a réussi. Aujourd'hui, les foules, il les fait courir.

Après nombre de triomphes québécois (et canadians), André Gagnon va bientôt «faire» le Carnegie Hall à New York et quelques autres salles américaines prestigieuses. Histoire de voir si «le petit» est encore en pleine croissance.

Le petit! Dédé! Les diminutifs lui vont naturellement... et affectueusement. Il prétendra sans doute que ça l'agace, mais on pourra facilement lui répondre qu'il court après puisqu'il persiste à se composer, sur scène, une tête d'adolescent romantique à laquelle il ne manquerait que les points noirs d'une acné mal contenue — et pour cause: il aura bientôt quarante ans.

Il ne veut surtout pas qu'on parle de son âge. J'en parle quand même, au risque de le voir me bouder pendant trois ans. C'est qu'il est susceptible, Dédé, et la rancune ne lui est pas totalement étrangère. Ce disant, je suis conscient d'ajouter quelques années de plus à mon pensum. Peut-être ne me parlera-t-il plus jamais de sa vie. S'il savait seulement tout le bien que je dis de lui dans son dos!

Si je parle de son âge, c'est pour mieux expliquer son succès. André Gagnon n'est pas une vedette instantanée, surgie de nulle part un beau matin sans qu'on sache trop comment et pourquoi. Il a travaillé dur, et souvent dans l'ombre des autres, pendant des années. Il a d'abord fait toutes ses classes (classiques) avant de se payer un concert Mozart à la Place des arts et avant de disparaître, comme pianiste-accompagnateur, derrière nos vedettes-maison des années soixante.

Il connaît la musique. C'est beaucoup plus rare qu'on ne croit chez ceux qui, à notre époque, se présentent à nous comme musiciens.

Depuis 1970, il a encore travaillé très dur, d'abord à atteindre le statut de vedette qu'il a maintenant, et ensuite à maintenir ce statut au sommet de sa qualité.

Il faut avoir quarante ans pour en arriver là, et je ne vois pas ce qu'on peut trouver d'humiliant à le dire. Bien sûr, il y a les petites filles qui voudraient bien que leurs idoles aient toujours vingt ans, mais ne vieillissent-elles pas, elles aussi, d'une année par année?

André Gagnon est musicien. Ce fut, à l'origine de sa carrière de vedette, son plus gros handicap. Ce sont les chanteurs qui font les grands shows, les musiciens se contentant, plus souvent qu'autrement, de les accompagner.

Mais Dédé, n'écoutant que son courage et affichant la plus belle inconscience, décida qu'il fallait changer cet état de choses. Il allait, bien sûr, faire de la musique, mais puisqu'il fallait bien chanter un peu, il chantera; puisqu'il fallait bien danser un peu, il dansera. Sans beaucoup de talent. Mais avec tant de conviction que celle-ci l'emportera sur le ridicule. Et comme le show est parfaitement intégré, comme sa qualité globale est très élevée et très séduisante, Dédé va gagner son pari.

On se précipitera donc pour voir ce musicien classique qui vire au disco juste à temps pour rattraper le temps, cet accompagnateur qui a fini par voler le show à ses vedettes, ce compositeur qui n'hésite pas à refaire Beethoven à son image et à sa ressemblance, ce jeune fou parti pour la gloire... et qui la trouve.

Ce qu'il a fallu d'acharnement pour en arriver là!

Ce qu'il faut de talent pour continuer!

Ce qu'il faut d'orgueil pour ajouter: «Certains ont du talent et ne font pas d'argent. D'autres font de l'argent mais n'ont pas de talent. Moi, c'est grâce à mon talent que je fais de l'argent.»

André Gagnon fait beaucoup d'argent. Il fait salle comble partout où il passe et il vend beaucoup, beaucoup de disques. Mais il dépense aussi beaucoup. Pour se payer la belle vie, bien sûr, mais d'abord et avant tout pour se payer le meilleur et le plus grand show possible.

Et ça lui coûte cher parce qu'il a décidé de s'entourer des meilleurs professionnels qui soient. C'est qu'il est perfectionniste, le petit, et ça se voit jusque dans sa vie de tous les jours. Il suffit de visiter sa belle maison de la rue Laval pour en témoigner.

Quel monsieur sérieux, me direz-vous. Eh bien, vous vous trompez! Monsieur Gagnon n'est sérieux qu'au travail; Dédé est fou comme braque!

Drôle comme un singe, déraisonnable, et vulgaire aux entournures s'il s'agit de faire rire les plus empesés. Une vie privée discrète, mais que tout le monde connaît par cœur. Des hauts et des bas dramatiques, qui répondent plus aux fluctuations de ses amours qu'aux fluctuations du marché du disque.

Un caractère de cochon, mais le cœur sur la main.

Bouffon jusque dans le bout des doigts, mais colérique jusqu'à ne plus vouloir jouer que sur les notes noires.

Têtu, bavard, généreux, rêveur, pratique, drôle, frivole mais fidèle, grossier mais élégant, petit mais grand, brouillon mais appliqué, romantique mais strict, vaniteux mais décent, showman mais d'abord musicien.

La boucle est bouclée: on revient à la musique. Dédé ne pense qu'à ça... et à cette autre chose à laquelle tout le monde pense. Il pense donc à une chose de plus que la plupart d'entre nous.

La musique depuis toujours et pour toujours! Avec un public qui en redemande encore et toujours et à qui il en donne encore et toujours.

Oublions l'interprète, oublions la vedette, oublions le showman. Observons le compositeur.

On ignore trop souvent que Dédé fait toutes ses musiques et qu'il en fait également pour d'autres. De la musique pour les chanteuses, de la musique pour les films, de la musique pour la télévision, de la musique pour lui.

C'est peut-être là son plus grand mérite. Là où d'autres se contentent de chanter ou de jouer n'importe qui, lui ne fait que du Gagnon, arrangé à toutes les sauces, et presque toujours avec un égal bonheur.

Quand il fait une toune disco, on se lève et on danse. Quand il fait un grand poème lent et rêveur, on écoute et on rêve. Quand il fait une folichonnerie musicale, on s'esclaffe et on se tape les cuisses. Quand il consacre quelques mesures à la mémoire de la grande comédienne Denise Pelletier, on l'entend la larme à l'œil.

Il ne fait pas que de la bonne musique; il fait de la musique efficace. La bonne littérature, le bon cinéma, la bonne musique ne passent pas toujours la rampe. Or, André Gagnon a décidé de la franchir sans heurts, cette maudite rampe.

Voilà un autre trait de son caractère: il n'a pas envie de faire les choses pour lui seul ou pour un cercle restreint d'amis. Il faut que ça débouche sur les autres, autant pour le plaisir de ceux-ci que pour sa propre satisfaction.

De là son efficacité. De là son refus de l'hermétisme. De là sa capacité de répondre aux goûts du public sans le flatter indûment. Il sait qu'il joue sur la corde raide et que le gouffre de la démagogie parfois le guette. Mais il a réussi, jusqu'à maintenant, à n'y pas tomber.

C'est qu'il a toujours réussi à travailler très sérieusement sans trop se prendre au sérieux.

Il aimerait beaucoup, évidemment, faire une percée aux États-Unis mais, me disait-il dernièrement: «Si je ne réussis pas, ce ne sera pas une catastrophe pour moi. J'aimerais y arriver mais cette effroyable machine du spectacle américain me fait aussi un peu peur. En tous cas, si ça ne marche pas, je n'aurai pas l'impression d'avoir manqué quelque chose.»

S'il peut garder tant de réserve dans l'ambition, c'est qu'il a déjà réussi quelque chose. Il a peut-être encore mille carrières devant lui, mais il en a déjà une derrière. Cela lui donne une belle assurance professionnelle sans lui enlever pour autant quelques-uns de ces bons doutes fondamentaux qui empêchent la vanité de se débrider.

Mais j'allais oublier de vous dire que lorsqu'il ne se donne pas lui-même en spectacle il devient le meilleur des publics. Il aime beaucoup voir les autres réussir, surtout ses amis, et il ne leur ménage pas ses applaudissements.

Face à face, il peut être méchant, parfois cruel, très souvent cynique. Il a la langue bien pendue — sale, diraient certains. Il ne mâche pas ses mots et ne vous l'envoie pas dire. Chez lui, le trait est souvent dévastateur.

Mais on aurait toutes les peines du monde à lui faire dire du mal, dans son dos, d'un camarade, surtout d'un camarade du métier. Il se ferme alors comme une huître, ou bien il se réfugie dans le vague.

On peut certes sentir qu'il n'a pas aimé tel ou tel spectacle, qu'il a perdu confiance en tel ou tel artiste, mais il a un tel respect du métier et de la difficulté de faire ce sale métier, qu'il préfère ne pas éprouver davantage celui ou celle qui, de toute évidence, est en train de se casser la gueule.

Il affiche une franchise brutale, mais il a toute la pudeur de ceux qui savent par où et par quoi il faut passer pour en arriver là.

J'aurais pu vous faire un portrait beaucoup plus méchant du petit. Mais je m'aperçois que je n'arrive à être méchant qu'avec les êtres mesquins. Les généreux me trouvent toujours à court d'inspiration. André Gagnon est de ceux-là.

Il ne reculera devant aucun effort pour en donner toujours davantage à un public qui le lui rend bien. Il est sans doute égoïste, comme tout le monde, mais c'est en donnant du plaisir aux autres qu'il multiplie et qu'il justifie le sien.

Tous ceux qui connaissent sa musique et qui l'aiment, l'appellent, respectueusement, André Gagnon.

Tous ceux qui connaissent et qui aiment André Gagnon l'appellent, affectueusement, Dédé.

Nous,
novembre 1978

Maurice Richard est-il toujours vivant?

Il y a deux façons de poser la question: 1) Maurice Richard est-il toujours vivant? C'est clair et net; on n'a pas besoin d'explications. 2) Maurice Richard est-il toujours vivant *dans l'esprit des gens*? C'est la question qu'on pose quand on sait que la personne en cause aura eu le pouvoir (ou le talent) de substituer la transparence de la légende à la grossièreté de la réalité.

Inutile d'y aller par quatre chemins: il faut répondre OUI aux deux questions.

Maurice Richard est bien vivant. Je l'ai vu, je lui ai serré la main, je lui ai parlé. Il a cinquante-cinq ans, il dégage toujours une impression de force considérable et il se méfie plus que jamais de tout ce qui grouille, grenouille et scribouille.

Et puis, comment ne se souviendrait-on pas? Il fut une époque où il réussissait, à lui seul, à mettre le Québec sur la carte du monde tout en enfonçant au cœur des Québécois la douloureuse, encombrante et exaltante soif de leur identité.

J'avais huit ans quand il marqua son premier but pour le Club Canadien, en 1942. J'en avais vingt-six quand il marqua son cinq cent quarante-quatrième, le 20 mars 1960.

Au Québec, deux hommes ont marqué cette époque: Maurice Duplessis et Maurice Richard. Deux hommes auxquels le peuple québécois s'est identifié jusqu'à en perdre la raison. Deux hommes modestes et spectaculaires chez qui le flamboiement du triomphe le disputait à la mélancolie de la solitude.

Au Québec, dans les années cinquante, il ne se passait pas grand-chose. Une chance qu'il y avait Maurice Richard! Sans lui, je me demande bien ce qu'il serait arrivé de ma génération — et de la précédente. C'était le temps mort des projets collectifs et des débordements de vie écumants qu'allaient nous faire retrouver les années soixante. Sous les apparences de l'unanimité, le Québec était divisé en cinq millions de Québécois qui semblaient devoir se coucher les uns après les autres pour dormir de leur dernier sommeil. La flamme vacillait, le cœur n'y était plus. Mais il y avait cette étincelle qui toujours ranimait le feu. Une trace de feu dans la glace qui réussissait à faire fondre — ne fût-ce qu'un instant — nos appréhensions et à redresser l'échine à ceux qui l'avaient déjà courbée bien bas.

Les plus jeunes ne peuvent pas comprendre. D'ailleurs, ce n'est pas nécessaire: ils n'habitent plus le désert de nos vingt ans. Souvenez-vous: en ce temps-là, il n'y avait rien... ou presque.

Canadien français à une époque où il ne faisait pas bon l'être, il lui fallait être meilleur que les autres, bien meilleur, pour qu'on lui reconnaisse enfin quelque valeur. Il le fut.

Joueur de hockey à une époque où il ne faisait pas tellement bon l'être, il lui fallait être plus noble que tous pour résister à l'esclavage du système et réussir à en sortir, meurtri mais vivant. Il le fut.

Triomphant dans un désert de paresse et d'abandon, il lui fallait être à la fois plus fier et plus humble que ses compatriotes pour résister aux assauts de la jalousie et de l'envie. Il le fut.

Et il fut nationaliste au moment où il suffisait d'élever un peu la voix qui voulait chanter en français pour se la faire enfoncer dans la gorge.

Peut-on se surprendre alors qu'il soit devenu un véritable symbole pour des millions de Québécois qui, à défaut de réussir à exercer eux-mêmes le pouvoir, en ont fait un *objet politique* chargé de toutes leurs souffrances, de tous leurs désirs, de toutes leurs ambitions?

Le savait-il, lui? En était-il conscient? A-t-il compris, à cette époque, que l'émeute du Forum de mars 1955 était une manifestation *politique*, brouillonne certainement et nullement préméditée, mais révélatrice des courants profonds et sourds qui alimentaient l'âme québécoise? Cela n'a pas d'importance. Ce qui compte c'est que, conscient ou inconscient, il a tenu le coup jusqu'au bout, jusqu'à ce que d'autres relèvent le défi en éclatant dans toutes les directions à la fois.

En est-il conscient aujourd'hui? Je le lui ai demandé. J'ai eu droit à une réponse typique, du genre de celles qu'il a données toute sa vie quand il avait à s'exprimer ailleurs que sur la patinoire: «Ce doit être vrai puisque tout le monde le dit.»

Sans doute était-il nationaliste sans trop le savoir — comme nous l'étions presque tous en ces temps-là. Par réflexe, par instinct de conservation, juste pour exister. C'est sur la glace qu'il menait ses meilleurs combats, et c'est là qu'il gagnait. C'est pourquoi on l'adulait: *parce qu'il gagnait*. Mais une fois rangés chandails et patins, il se retrouvait dans la peau de tout le monde, dans la peau d'un Canadien français de l'époque; il s'enfermait dans un mutisme presque maladif, et s'il lui est arrivé de faire quelque sortie fracassante, c'était sous l'empire d'une sainte colère qu'il réprimait aussitôt pour retrouver l'attitude presque hiératique qui a fait dire de lui qu'il était plutôt «sauvage».

Était-il malheureux? «Oui, me répond-il sans hésitation. J'ai été très malheureux, presque tout le temps. Nous étions de véritables esclaves, mal payés pendant que d'autres empochaient des profits fabuleux. Et nous n'avions pas le droit de parler. Il fallait se taire sous peine de se retrouver à la rue. Je me taisais parce qu'il fallait bien que je gagne ma vie. Je ne savais rien faire d'autre que jouer au hockey. D'ailleurs, dès que je mettais les pieds sur la glace, je retrouvais ma joie.»

Maurice Richard le joueur de hockey avait beau triompher sur tous les fronts, Maurice Richard le Canadien français devait subir le sort pénible de tous les siens. Si grand fût-il, on lui refusait toujours le droit d'être autre chose qu'un porteur d'eau.

Mais il a travaillé si dur, il s'est battu si fort qu'on a bien été obligé un jour de reconnaître qu'il était plus que le plus grand joueur de hockey de tous les temps: il était aussi un homme qui savait se tenir debout pour affirmer sa dignité.

Ce qu'il y a de plus étonnant, dans toute cette affaire, c'est qu'il n'est pas moins déchiré aujourd'hui qu'il l'était il y a vingt ans.

«Ah, si je pouvais parler!», me dira-t-il soudain.

«Quoi! Vous avez mis tout ce temps et tous ces efforts pour devenir Maurice Richard et vous n'osez pas encore parler aujourd'hui?

— Non, je ne veux pas parler. J'en aurais des choses à dire. Mais je ne veux faire de peine à personne et je n'aimerais pas savoir que quelqu'un me déteste parce que j'ai dit telle ou telle chose...»

On voit bien, dès lors, que si le joueur de hockey s'en est brillamment sorti, le Canadien français qu'il est resté a peur, encore aujourd'hui, de son ombre.

Il est sensible, bien sûr, mais cela ne suffit pas à expliquer pareille réticence. Il faut qu'il se soit fait matraquer plus souvent qu'à son tour pour ne plus oser élever la voix, même dans la position de force et d'indépendance qu'il occupe aujourd'hui.

Aujourd'hui, malgré son calme et une sorte de sérénité qu'il n'a pas toujours eue, il n'arrive toujours pas à cacher une certaine amertume.

Le plus grand joueur de hockey de tous les temps a fait ses débuts dans la ligue nationale pour moins de trois mille dollars par année et, au sommet de sa carrière, il n'a jamais gagné cinquante mille dollars par an, malgré les «bonus» et récompenses de toutes sortes qu'il obtenait pour ses exploits.

Son amertume se nourrit de ce triste souvenir. On l'a exploité tant qu'on a pu, et lorsqu'est venu le temps où il ne pouvait plus servir les appétits insatiables de ses «maîtres», on l'a laissé tomber comme une poche après l'avoir laissé vivoter sur une tablette pendant quelques années.

Il n'arrive pas à oublier. Tout au long de la conversation que j'ai eue avec lui, il y a quelques semaines, j'ai eu l'impression que si cet homme se «laissait aller», ce serait pour se venger. C'est sans doute pourquoi il ne veut pas parler, pourquoi il ne veut pas trop bouger. C'est un homme trop bon et trop loyal pour céder à ce réflexe qui, au fond, lui répugne. Peut-être n'a-t-il pas compris que c'est toute la collectivité québécoise qui est en train aujourd'hui de le justifier et de le venger.

Et sa belle image de dieu qui fout le camp à chaque fois qu'il ouvre la bouche pour annoncer je ne sais plus quelle pacotille à la télévision! Il est aussi mauvais qu'il est possible de l'être, mais a-t-il vraiment le choix? Il faut bien qu'il gagne sa vie comme tout le monde, et toute la gloire accumulée au cours des ans ne lui rapporte pas un cent.

En le voyant faire le pitre à la télévision pour

changer la couleur de ses cheveux, nombreux sont ceux qui, face à ce pantin pitoyable, regrettent les jours anciens où ils pouvaient accrocher leur âme et leur cœur à ses patins pour aller faire la nique à tous les Anglais du monde.

«Est-il intelligent?» m'a demandé quelqu'un.

Oui, il l'est, et beaucoup plus qu'il en a l'air à la télévision. Mais peut-on avoir l'air intelligent à faire ce qu'on ne sait pas faire? Einstein aurait-il eu l'air intelligent sur des patins?

«Est-ce que tous ces efforts et toutes ces souffrances pour devenir le grand Maurice Richard en ont valu la peine?

— Oui. Et si c'était à recommencer, je le referais, en espérant pouvoir le faire dans de meilleures conditions. J'ai été très malheureux, et aussi très heureux dans ce métier. Mais il y a eu tellement de gens qui ont fait de l'argent sur mon dos — et il y en a encore aujourd'hui. Tenez: vous écrivez un article sur moi, vous vous servez de mon nom, et vous serez sans doute payé pour le faire. Mais moi, qu'est-ce que j'en retire? Rien.»

Je lui montre le gros bouquin que Jean-Marie Pellerin vient d'écrire sur lui. Une brique dithyrambique dans laquelle l'auteur ne tarit pas d'éloges à son endroit.

«Et cela? Ça ne vaut pas la peine, ça ne vous apporte pas quelque satisfaction?

— Oui, bien sûr. Je mentirais si je vous disais que ça ne me fait pas plaisir. Mais ce n'est pas avec cela que je vais payer le loyer.

— Le hockey vous intéresse-t-il encore aujourd'hui?

— Oui, mais beaucoup moins qu'avant. Je regarde les joutes à la télévision mais je ne vais plus jamais au Forum. D'ailleurs, le calibre de hockey qu'on joue maintenant est beaucoup moins fort qu'autrefois. J'ai toujours dit qu'on se laissait aller et, bien avant que les joueurs de la Ligue nationale rencontrent les Russes, je ne me cachais pas pour déclarer que ceux-ci nous réservaient des surprises.

— Jouez-vous encore?

— J'ai joué jusqu'à l'an dernier. Maintenant, je ne joue plus. Les jeunes sont trop rapides et ils ont trop de souffle pour moi. Et puis, vous savez, ils me voient venir, ils m'attendent. Alors...»

Il dit cela sans tristesse, en souriant, même.

Et j'ai soudain l'impression qu'il a tout compris: il sait *exactement* ce qu'il a été et ce qu'il est. Il sait ce qu'il a représenté pour tant de gens et ce qu'il représente encore pour moi. Le regard est vif, pénétrant. Son instinct ne l'a pas trompé. Il sait qu'il a fait ce qu'il avait à faire, et qu'il l'a fait mieux que quiconque. Mais il reste l'homme de son temps, marqué par les dures batailles de cette époque.

Maurice Richard? Il fut Québécois au temps où nous n'étions tous que des Canadiens français. Mais aujourd'hui que nous sommes devenus Québécois, il reste un peu Canadien français.

Qu'importe! Il nous a montré comment, non?

Nous,
février 1977

Gilles Villeneuve ou la folie raisonnable

«Enlevez vos souliers!»

L'ordre est péremptoire, mais le ton souriant. Un peu interloqué, j'obéis. Et je mets dix secondes à comprendre que le tapis de la roulotte de Gilles Villeneuve ne résisterait pas longtemps si on permettait à tout un chacun d'y essuyer toutes les saletés qui auraient pu lui coller aux pieds autour d'une piste de Grand Prix.

Prenois, France. À dix-huit kilomètres de Dijon (oui, oui la moutarde, je sais!). Vendredi 29 juin 1979. Dans deux jours, le 1er juillet (oui, oui la Confédération, je sais!) on y courra le Grand Prix de France. Formule Un. Une étape dans la course au championnat du monde. Jusqu'à maintenant Gilles Villeneuve s'est maintenu en deuxième place, à quelques points derrière son coéquipier Jody Scheckter.

Les Ferrari, éparpillées, démontées, éventrées, ont l'air de pauvres squelettes abandonnés par des mécaniciens trop pressés. On a peine à imaginer qu'elles pourront être remontées, reconditionnées, remises à neuf; qu'elles pourront courir encore dans quelques heures — gagner, peut-être.

«Les bolides», comme on dit dans les journaux sportifs. «La roulotte», comme on dit chez nous (en France, on dit caravane).

La course. La famille. Intégrées, soudées l'une à

commence à gagner à Montréal l'an dernier, devant les siens, devant des milliers de partisans en délire. On a dit: «C'est arrangé.» Mais ce n'était évidemment pas arrangé. Le voici deuxième dans la course au championnat du monde. Ça non plus, ça ne s'arrange pas.

Mais, si grand coureur soit-on, il faut compter avec la machine. Si elle craque, si les pneus ne tiennent pas, s'il pleut au mauvais moment, si on accroche...

L'écrivain est seul devant sa page blanche. S'il rate son coup il ne peut s'en prendre qu'à lui-même. Mais le coureur automobile est à la merci d'une panne stupide.

Et il y a le progrès. On a l'impression que les voitures de Formule Un ont toujours une année de retard. Une écurie fait des améliorations déterminantes, et les autres s'essoufflent jusqu'à ce qu'une autre écurie, quelques mois plus tard, prenne la tête. C'est frustrant, non?

«Ça, c'est du passé, dit Villeneuve. Nous avons atteint certaines limites que nous ne pouvons pas dépasser. La résistance physique des coureurs a maintenant été atteinte. Les constructeurs vont maintenant raffiner les voitures plutôt que de tenter de les rendre plus rapides. D'ici très peu de temps — en fait, c'est déjà commencé cette année — les voitures se retrouveront vraisemblablement sur un pied d'égalité et nous verrons des courses de coureurs, des batailles entre coureurs, plutôt que des performances de voitures.»

En effet, la limite est atteinte. Sur certaines pistes, dont Dijon-Prenois, la force centrifuge dans les courbes est telle que les coureurs doivent s'attacher la tête à l'épaule pour pouvoir y résister sans trop de mal. Ils en sortent au bord de l'affaissement, courbaturés pour plusieurs jours.

L'homme a ses limites que la machine ne connaît pas. Et c'est tant mieux. Le duel entre deux hommes est toujours beaucoup plus intéressant que le duel entre deux machines.

Donc, nous aurons des courses de coureurs. Et Villeneuve, cette fois, sera sans doute en tête du peloton. Parce «qu'il a de la classe et qu'il est le plus rapide», comme l'affirmait un journal français. Dur, mais propre. Il ne se laisse pas marcher sur les roues mais il n'attaque pas sournoisement.

À quoi bon, d'ailleurs? Les autres ont bien le moyen de se venger. Et lorsqu'un coureur se permet des «fautes de goût» à l'endroit des autres coureurs, on peut être certain qu'il y en a toujours quelques-uns sur le nombre pour le rattraper et lui servir une bonne leçon. Mais, je le répète, il ne se laisse pas marcher sur les roues.

Et j'en ai eu un sacré bon exemple sous les yeux.

Dijon-Prenois. 1er juillet 1979. Le Grand Prix de France!

«Avez-vous des chances de gagner, Gilles Villeneuve?

— Si la machine tient le coup, oui.»

Il le sait d'avance, il le dit d'avance. Il n'est pas du genre superstitieux.

Une course mémorable en tous points.

Dijon. Une belle ville française plutôt tranquille. Le Musée des Beaux-Arts, le deuxième de France, après le Louvre. Les grands vins de Bourgogne à quelques kilomètres. La belle France telle qu'on la retrouve dans les belles histoires.

Prenois. Trois maisons. Une route «nationale» à deux voies. Un circuit. On y roulera à deux cent cinquante à l'heure, mais c'est à pas de tortue qu'on s'y rend.

Cent vingt mille personnes. Qui n'ont pas où se loger, qui ne savent où manger, qui sont bien obligées de pisser n'importe où. Cent vingt mille fanatiques l'autre. Monsieur Ferrari. Madame Villeneuve. Les machines. Les enfants.

Monsieur Gilles Villeneuve: un coureur parmi vingt-cinq, vingt-cinq coureurs parmi quatre milliards d'hommes et de femmes. Le sport le plus élitiste du monde. On ne se pratique pas à courir en Formule Un. On ne gravit pas les échelons un à un. On ne va pas faire son petit tour de piste tranquille en Ferrari, en Lotus ou en Renault, histoire de se faire la main. Quand on s'assoit au volant d'une Formule Un, on se retrouve au sommet, tout d'un coup.

Pour professionnels avertis seulement!

Et les Formules Un d'occasion, ça n'existe pas: elles sont toujours neuves. Elles sont remplacées avant d'avoir le temps de vieillir. On pourrait presque en dire autant des coureurs. Quelques milliers, dans le monde, attendent un tour qui, pour la plupart, ne viendra jamais. Ils sont vingt-cinq au sommet. Ça vous fait un méchant goulot d'étranglement, non?

Un passage difficile que Gilles Villeneuve a franchi sans coup férir. Il court maintenant, et vite. Il gagne. De plus en plus.

Certains diraient qu'il court à la mort. Il répondrait sans doute que c'est à la vie qu'il court, incapable d'imaginer la vie sans la mort omniprésente. Ce sont les deux faces de sa carte d'atout.

La plupart des gens imaginent la mort comme un arrêt de la vie. D'autres, et Villeneuve est de ceux-là, sentent que la mort n'est là que pour rendre la vie plus intense.

Les premiers n'ont pas envie et ne courent pas en Formule Un. Les seconds ont attaché leur vie fragile à ce fil ténu qui sépare la mort de la vie.

Mozart est mort jeune, mais il avait plus accompli, en trente-cinq ans, que tous les autres en soixante-dix ou en cent. C'est l'intensité qui compte, pas la durée.

«Avez-vous peur, parfois?» Comment ne pas lui poser la question?

«Non, jamais. Le cœur bat un peu plus vite parfois, aussitôt le danger passé, mais ça ne dure pas trente secondes. C'est la raison qui prend aussitôt le dessus. Je me demande pourquoi et comment il m'est arrivé de me placer dans cette situation. Peur? Non.»

Villeneuve est connu pour le calme froid qu'il affiche en course. Il n'est pas différent en dehors de la piste. Un calme à vous couper le souffle.

On imagine facilement qu'il faut être fou pour courir en Formule Un. Mais c'est probablement le contraire qui est vrai: il faut plutôt être extraordinairement raisonnable!

Chez Villeneuve, c'est ce qui frappe au premier abord: l'intelligence sereine, la raison froide, le calcul mathématique.

De l'intelligence à revendre. Le corps est petit mais le cerveau démesuré. Le cerveau d'un mécanicien démoniaque.

En effet, la plupart des mécaniciens, même ceux qui ont du génie, se contentent de bricoler leurs machines au garage pour ensuite laisser à d'autres le soin de se casser la gueule au volant des monstres qu'ils ont inventés.

Villeneuve est différent. À douze ou treize ans, il démontait et remontait des moteurs. Il fut un mécanicien passionné, naturellement, sans se forcer, pour le plaisir. À quinze ans, il aurait pu en remontrer aux plus chevronnés. Aujourd'hui, il en tire un avantage considérable. La plupart des coureurs ne sont pas mécaniciens; il leur faut compter sur la compétence des autres.

Mais Villeneuve, pour sa part, comprend pourquoi la machine ne tourne pas rond. Il peut suggérer telle ou telle mise au point. Il peut reprendre un mécanicien qui se trompe. Impossible de lui raconter des histoires: il peut discuter d'égal à égal avec les plus grands, qu'ils soient de chez Ferrari ou d'ailleurs.

Ses machines, il les monte. Et c'est parce qu'il les monte qu'il sait jusqu'où il peut les pousser. Qu'il sait d'avance s'il a des chances de gagner ou pas.

On lui a parfois reproché d'annoncer avant une course qu'il ne gagnera pas. On en a conclu qu'il manquait de confiance ou d'enthousiasme. Or, il n'en est rien. Il est réaliste, un point c'est tout. Et il refuse de se mentir à soi-même. À celui qui risque sa vie tous les jours, l'honnêteté vient tout naturellement.

Tiens, parlons-en donc de ce grand risque quotidien.

«On dit que vous gagnez plus d'un million de dollars par année. C'est beaucoup d'argent, non?»

«Ça peut sembler beaucoup, mais peut-on calculer en dollars le prix d'une vie humaine? Comparons: certains joueurs de tennis gagnent plus que ça, ou certains joueurs de golf, ou certains acteurs de cinéma. Risquent-ils leur vie? Nous, nous sommes constamment en danger de mort. Nous sommes les seuls sportifs à courir ce risque. Nous le faisons en toute connaissance de cause, mais qu'est-ce que cela change? Au fond, ce n'est pas payer très cher le spectacle de ces hommes qui jouent le tout pour le tout.»

Il a raison. On l'oublie trop facilement.

Il ne se plaint pas. Il calcule, tout simplement, froidement. Il connaît son prix et sait pouvoir l'exiger.

On le dit modeste. C'est faux. Simple, oui, modeste, non. Il a parfaitement conscience d'être un être exceptionnel. Il ne se vante pas, il ne le crie pas sur les toits, mais cela se sent dans ses paroles, dans ses gestes.

Mais c'est vrai qu'il est simple. Nullement prétentieux: c'est le gars qui fait une job, une bonne job. Il est heureux parce qu'il fait ce qu'il a toujours voulu faire. On ne se vante pas d'être heureux. Mais en même temps, à quoi bon nier qu'on a atteint le sommet et qu'on compte bien y rester?

Les journalistes européens l'adorent. L'un d'entre eux, français, qui venait de l'interviewer, me disait: «Quelle différence avec les autres. Des réponses simples, claires, franches. Presque tous les autres s'enveloppent de mystère, répondent à côté de la question ou se lancent dans des grands discours flous ou incompréhensibles. Villeneuve est charmant et désarmant. Il dit les choses comme elles sont, sans détour.»

À quoi bon nier qu'on est une grande vedette? Villeneuve ne le crie pas sur les toits, mais il le sait.

Une très grande vedette. En Europe, s'entend. Pourquoi moins en Amérique? Pour une raison très simple. Le sport automobile est une invention européenne, et c'est en Europe qu'il est resté une attraction de premier plan. Les grandes automobiles, les routières comme les voitures de course, sont européennes. Et contrairement à ce qu'on aime croire, c'est en Europe qu'on se passionne d'automobile, pas en Amérique.

Il faut entendre les jeunes Français, Allemands, Anglais ou Italiens parler voitures. C'est à croire qu'ils sont tous mécaniciens! Et ils sont des milliers à s'inscrire aux courses de moindre calibre que la Formule Un.

Que font les jeunes Américains? Les jeunes Québécois? Ils rêvent de puissance et rien d'autre. Ils rêvent d'une Can Am ou d'une Camaro dont ils pourront faire crisser les pneus pour impressionner les petites filles du coin, mais ils ont souvent peine à dénicher le carburateur. Il y a des exceptions, bien sûr, mais nous parlons ici d'un état d'esprit général. Ici, la course d'accélération, la puissance pour la puissance, l'érection et l'éjaculation automobiles connaissent un succès inquiétant: «Je suis le plus fort!»

Mais le vrai sport automobile, c'est en Europe qu'on sait l'apprécier. Sous toutes ses formes — y compris dans les rues de Paris ou de Rome. C'est pourquoi Villeneuve est là-bas une très grande vedette, et en Italie plus que partout ailleurs, parce qu'il court «italien».

Justement, pendant que nous traînons parmi les machines Ferrari, un journaliste italien s'approche pour lui offrir la dernière parution de l'*Uomo Vogue*, la grande revue de mode masculine italienne. En première page: Villeneuve, bien sûr. Lui qui se fout éperdument de la mode!

Dans la roulotte, Villeneuve montre la revue à son fils. «Il est beau ton père, hein?» Le fils y jette à peine un regard distrait, ça ne l'intéresse pas. La vedette ne l'intéresse pas. À cet âge, on a plus envie de son père que d'une image, si brillante soit-elle.

Villeneuve est un homme de famille entier. C'est pourtant pas une vie pour une famille. Tant pis, on va s'arranger pour se faire une vie quand même. C'est ce qui explique la roulotte qu'on transporte partout et qu'on installe au bord des pistes. Quand on veut vivre avec sa femme et ses enfants, on en prend les moyens, non?

«C'est la seule façon que nous ayons d'être ensemble, raconte Madame Villeneuve. Ce n'est pas idéal, mais ça fait partie de notre vie. Gilles court partout à travers le monde. Il n'est pratiquement jamais à la maison. Avec la roulotte, nous pouvons être ensemble presque tout le temps. Et les enfants peuvent nous accompagner pendant les vacances.»

Une vie de famille rangée, disciplinée. Difficile.

La nouvelle maison que les Villeneuve ont achetée à Monaco leur a coûté un prix fou; elle est située dans un des paysages les plus célèbres du monde. Mais les Villeneuve, s'ils avaient le choix, se retrouveraient ailleurs avec le plus grand plaisir. «Le plus grand plaisir de Gilles c'est de faire du quatre par quatre dans le bois avec ses amis.»

Ils n'ont pas rêvé d'être riches; ils le sont. Ils n'ont pas rêvé d'habiter la Côte d'Azur; ils y sont installés. Ils n'ont pas rêvé d'être connus du monde entier; c'est fait.

Ils ont rêvé — ils rêvent encore — d'un bonheur tout tranquille et tout simple. Alors, ils essaient de se donner les moyens de le vivre. De toute évidence, ils y réussissent. Mais Gilles Villeneuve a quand même rêvé de courir en Formule Un.

«Oui, j'en ai toujours rêvé mais je croyais ce rêve impossible.

— En Ferrari?

— Non, plutôt en Lotus. À cause de Peterson, de Filipaldi. Et c'est en 1976 que tout a commencé. Cette année-là, j'avais gagné neuf courses sur dix en Formule Atlantique. Les gens de chez McLaren m'ont remarqué. Ils m'ont fait courir à Silvertone, en Angleterre. Puis, pour des raisons encore inexpliquées, ils ont cessé de me faire courir, même s'ils m'avaient promis que je pourrais participer à quatre ou cinq courses dans l'année. Mon contrat n'était pas très bon.

«J'étais déçu et puis un soir, alors que j'étais chez moi au Québec, Monsieur Ferrari m'a appelé.

«Voilà comment c'est arrivé.

«Aujourd'hui, toutes les écuries m'offrent des contrats mirobolants. Mais je préfère rester chez Ferrari. J'y suis bien.»

Une première année meurtrière. Des accidents en chaîne. On le disait fini avant même d'avoir vraiment commencé. Mais Monsieur Ferrari ne pensait pas la même chose. Et c'est Monsieur Ferrari qui avait raison.

Aujourd'hui, Villeneuve gagne. Et il a fallu qu'il

venus de Suède, d'Allemagne, d'Italie, même de France. Du Québec. Vous voyez ce drapeau québécois dans les estrades?

Les vendredi et samedi sont jours d'essais et de classement. Déjà plus de cinquante mille personnes y assistent. Il fait d'abord très chaud, puis un peu plus frais. La pluie menacera mais ne tombera pas.

Dijon est prise d'assaut. Les services sont débordés. Et pour ce dimanche enfiévré, on a prévu, en tout et partout, cinq cars en partance de Dijon pour Prenois.

À quoi bon? Je ferai comme des milliers d'autres. Le pouce. L'auto-stop.

Problème d'accréditation. Cinq cents journalistes. On ne trouve pas mon télex. Je suis en bonne compagnie: des douzaines de journalistes venus du monde entier se retrouvent dans ma situation. On leur refuse leur «carte de presse». Deux journalistes finlandais sont atterrés. Et ils ne parlent pas français.

Aidons-nous les uns les autres: on téléphone à Helsinki, on exige un nouveau télex. On ne peut pas téléphoner à Montréal, où il est quatre heures du matin. Mais nous sommes vendredi. Et, en Europe comme ici, surtout en juillet, on ferme tôt le vendredi. Arriverons-nous à temps?

Une bière au café, en attendant le télex d'Helsinki. Il arrive.

Prenois. On nous refuse encore. Finalement, on accepte les journalistes finlandais, mais on m'interdit toujours l'entrée. Il faut payer. Je paie — très cher! J'entre.

Je vois Villeneuve, sa femme, ses enfants, les machines, les mécaniciens, la foule.

C'est dérisoire, un Grand Prix. Dérisoire et excitant. Dérisoire et exaltant. Dérisoire et fantastique.

Et moi qui déteste le bruit! Tant pis, ça ne durera

pas longtemps.

J'avais déjà vu le Mans, et Reims, et Mont-Tremblant, et Montréal. Mais de loin.

Là, je suis *dans* la course, collé aux coureurs et à leurs machines. Dans les odeurs d'essence, de caoutchouc et de goudron. Le bruit et la fureur.

C'est court, une course de Grand Prix et, au fond, on ne voit pas grand-chose, parce que tout va trop vite. On en voit plus à la télévision. Mais enfin, on est là et c'est ce qui compte, non? «J'y étais.»

Les deux Renault turbo-propulsées jouent leur va-tout. Voilà quatre ans que la grande firme française engloutit hommes, matériel, argent et mécaniques pour tenter de s'emparer de la bouteille de champagne. Peine perdue. Mais aujourd'hui? C'est maintenant ou jamais.

Et c'est maintenant. Dès le départ, voilà Jabouille en tête, au volant justement d'une Renault. Il ne sera jamais menacé.

Le Grand Prix de France a bien failli n'être qu'une course comme les autres. Mais c'était compter sans Villeneuve, qui ne fait pas tout à fait les choses comme tout le monde.

La première place est prise. Tant pis. On se battra pour la deuxième.

Renault-Ferrari. Villeneuve-Arnoux. C'est la guerre.

C'est la fin de la course. Il reste quatre tours. Les deux jeunes loups s'affrontent. Roues contre roues. À deux cents à l'heure. Tous les risques. Tous les trucs. Toute la puissance. Toute l'intelligence. Toute la force du corps et de l'esprit. En espérant que la machine tienne le coup.

De mémoire d'homme, on n'avait jamais vu pareil combat. Jackie Stewart, qui commente pour les réseaux de télé anglais, s'écrie: «It's incredible! We've never seen that! They're crazy!»

Ils sont fous, complètement fous. Ils vont se tuer tous les deux, c'est certain. La foule est en délire. Elle ne sait plus si elle préfère les voir vivre triomphants ou les voir mourir défaits. Ils ne se lâchent pas. Tout ça pour une deuxième place!

Et pourquoi pas? Quand on n'est que vingt-cinq, on est toujours premier, non? Ils sont jeunes tous les deux, et fougueux, et apparemment invincibles.

Mais l'un est plus fort que l'autre. Il est un peu plus vieux, il a un peu plus d'expérience, un peu plus d'intelligence, un peu plus de ce qu'il faut pour passer devant.

C'est quoi, ce «un peu plus de ce qu'il faut»? Nul ne saurait le dire, mais ça existe.

Et Villeneuve, à la toute fin, au bord de la mort et au sommet de la vie, s'arrache dans un ultime effort et franchit la ligne d'arrivée à un centième de seconde devant Arnoux.

Il aura fallu le voir pour le croire. Je l'ai vu.

Un peu courbaturé — un peu beaucoup, sans doute — Villeneuve sourit sur le podium, aussi calme à l'arrivée qu'au départ, souriant, détendu. Le triomphe.

C'est ça, la vie. Pour vous ou pour moi, non. Pour Villeneuve et pour quelques autres, oui. Il n'y a pas d'autres vie. Il n'y a que la mort-vie. La vie d'Icare qui vole vers le soleil pour y voir fondre ses ailes et mourir en plein ciel, comme une planète, comme une étoile.

Et puis la vie de famille reprend. Villeneuve a fait des convertis. Plusieurs coureurs maintenant vivent dans des roulottes près des circuits. Il leur a appris qu'on pouvait faire les deux choses à la fois: la famille et la course.

On repartira bientôt vers d'autres cieux. En Angleterre, en Autriche, au Québec, partout où il y a des soleils qui brillent un peu plus fort pour les uns que pour les autres.

Cette fois Icare s'est approché tout près du soleil, mais sans s'y brûler. Les monstrueuses machines de fer — de cire — tiennent bon.

C'est pour voir le soleil de près que Gilles Villeneuve court encore. Plus près du soleil, toujours plus près. Jusqu'à s'y fondre.

Le soleil! La vie!

Nous,
septembre 1979

Le droit de se taire

Je dois avouer, en tout honnêteté, que je n'ai pas le goût d'écrire cet article aujourd'hui. Je souhaiterais demeurer silencieux et écouter parler les autres, pour un temps.

Pourquoi tant de gens éprouvent-ils le besoin de parler alors qu'ils n'ont bien souvent rien à dire? Les journalistes doivent faire la nouvelle même lorsqu'il n'y a rien de nouveau à l'horizon. Les politiciens doivent prendre la parole dans des assemblées organisées trois mois à l'avance, et lorsqu'arrive le moment de parler, leur discours est devenu anachronique.

Les enseignants doivent s'adresser à leurs étudiants tous les jours, mais ils ne sont pas tous les jours intéressants. Les reporters sportifs doivent faire croire aux téléspectateurs que le match de hockey, bien que fort ennuyant, fut le meilleur qui ait été joué jusqu'à maintenant dans la Ligue nationale.

Les avocats doivent plaider devant juge et jury même s'ils savent qu'ils feraient souvent mieux de se taire. Les architectes construisent souvent des maisons affreuses sur des sites magnifiques même s'ils préféreraient ne pas le faire.

Les chanteurs doivent chanter même s'ils ont le rhume. Les musiciens doivent jouer même si personne n'écoute. Les enfants doivent répondre aux questions de leurs parents, et ces derniers doivent leur fournir des réponses même s'ils savent qu'il n'y a tout simplement pas de réponse.

Le jour de tombée. Les pressions. Les obligations. Vous êtes payé pour un travail et vous devez le faire. Vous en êtes responsable et vous ne pouvez y échapper.

Même dans votre vie privée, vous n'avez pas toujours le droit ou la chance de pouvoir vous taire. On vous forcera à parler et on s'offensera si vous avez le malheur de dire que vous n'avez rien à dire.

Et puis, on ne peut pas être intelligent tout le temps, ou drôle, ou inventif, ou informé de tout ce qui se passe. Il y a des trous, des failles, qui ne peuvent être comblés, et il y a des silences qui devraient être respectés.

Sinon, il se produit comme une sur-information. Mais en dépit du fait que quantité de journalistes connaissent bien ce danger, personne n'a encore proposé de solution.

Une sur-information entraîne une indigestion. On devient tellement lassé de cette avalanche d'informations qui nous arrivent de toute part, que bien souvent on décide de se boucher les oreilles. On devient rapidement désinformé, on n'a plus les connaissances nécessaires.

Quand on est bombardé de tous côtés, il devient difficile de tout absorber. On éprouve alors de la difficulté à comprendre l'événement. On ne peut plus discerner le vrai du faux. On ne sait plus ce qui est important et ce qui ne l'est pas. Comme on mélange tout, on en vient à croire que tout est important ou que rien ne l'est.

Et puis, cette façon de parler ex cathedra, chez tant de gens, n'aide guère à distinguer le journaliste sérieux du raconteur d'histoires. On conclura alors que tout le monde est intéressant, ou encore que personne ne mérite notre attention.

Le problème avec les mass média, c'est qu'ils sont faits en série mais très peu, en fait, atteignent les masses.

Ce qui rejoint le large public, ce sont les gros titres, la rumeur, les interprétations des interprétations, le spectaculaire, le trivial.

Bien sûr, on peut rêver qu'un jour on ne publiera que les nouvelles importantes. On peut exiger que les journalistes et les commentateurs ne parlent ou n'écrivent que lorsqu'ils ont quelque chose à dire. On pourrait, finalement, jeter à la poubelle des centaines de pages de journaux et fermer radio et télévision pendant de longues heures.

Serait-ce la solution? Je ne crois pas.

Je crois que la seule solution, c'est d'accepter les choses comme elles sont. Pour nous, journalistes, ça signifie avoir le courage et l'honnêteté d'admettre que nous pouvons, à l'occasion, être totalement insignifiants.

Aussi, je veux proclamer mon droit à l'insignifiance.

Au risque de paraître incohérent, ce que je veux dire aujourd'hui, c'est que j'ai le droit (et je réclame ce droit pour tout le monde) d'être fou quand j'en ai le goût, d'être aussi stupide que n'importe qui quand je ne peux faire autrement, de me tromper à l'occasion, de rire quand il faut être sérieux ou d'être très sérieux quand il faut rire.

Je veux être libre.

Le droit d'être libre, ça comprend aussi bien le droit de se tromper que le droit de réussir. L'un ne va pas sans l'autre. On ne peut pas être aussi exact que l'heure de tombée. On ne peut forcer quelqu'un à toujours faire preuve d'intelligence. Tout comme on ne peut être forcé de toujours réussir.

La liberté, c'est pour les être humains. Les forts comme les faibles, les heureux comme les tristes, les généreux comme les égoïstes, les humbles comme les fiers, les durs comme les faibles, les exaltés comme les dépressifs.

La liberté, c'est le lieu où s'affrontent le paradoxe et la contradiction. C'est le droit d'être le meilleur, mais aussi le droit d'être le pire. Le droit de parler doit inclure le droit de se taire. Le droit de participer doit inclure le droit de s'abstenir lorsqu'on en ressent le besoin. Le droit de chanter doit inclure le droit de se déclarer muet.

On peut avoir les meilleures intentions et produire du vent. La vie, c'est ça, aussi.

Et je suis en vie. Je vous parlerai la semaine prochaine. Permettez-moi, aujourd'hui, de demeurer silencieux.

The Gazette,
le 18 août 1979

Deux générations

Je pensais avoir une idée fantastique; vous savez, ce coup de génie qui ne nous arrive qu'une fois tous les dix ans, et qui pourrait changer la face du monde. Eh bien, lorsque j'en ai fait part à un ami, il m'a dit qu'un autre y avait déjà pensé avant moi et qu'il venait justement de voir un reportage à ce sujet à l'émission «Sixty minutes».

Sur le coup, j'ai été un peu désappointé, mais ça ne m'a pas fait changer d'avis. Je continue à croire qu'il s'agit d'une idée fantastique, et je vais vous en faire part sur-le-champ, comme si de rien n'était.

C'est simple: pourquoi ne pas installer nos garderies dans les centres d'hébergement pour personnes âgées? Ces dernières pourraient prendre soin de nos enfants et nous réaliserions d'une pierre deux coups. Ce même ami m'a dit que l'expérience a été tentée en Floride et qu'elle a été concluante.

Je peux d'ores et déjà imaginer les résultats fantastiques que cette expérience procurerait. Regardons-y de plus près.

Traditionnellement, les grands-parents s'occupaient des enfants. Ils les gardaient, les gâtaient à l'occasion et jouaient aussi le rôle d'arbitre.

Tout cela se faisait de la façon la plus naturelle qui soit, parce que les grands-parents habitaient avec leurs enfants et leurs petits-enfants. Il était normal, à cette époque, que les parents partagent l'éducation des enfants avec les grands-parents.

En plus d'être naturel, c'était fort commode, de sorte que les parents avaient plus de liberté qu'ils n'en ont maintenant. Bien sûr, les parents devaient imposer une discipline à leurs enfants, tandis que les grands-parents, eux, faisaient, en quelque sorte, le contrepoids. En gâtant un petit peu leurs petits-enfants — et tous les grands-parents l'ont fait — ils ne faisaient que rétablir l'équilibre naturel. Les grands-parents faisaient aussi office d'arbitre lors des chicanes de famille, et comme ils prenaient presque toujours la part de l'enfant, ils faisaient comprendre très tôt à l'enfant qu'il avait, lui aussi, des droits et des libertés. Bien sûr, tout n'était pas aussi beau que je vous le décris en ce moment, mais, dans l'ensemble, ça fonctionnait beaucoup mieux que ce que nous avons en ce moment.

Comment faisons-nous aujourd'hui? Nous entassons les vieillards dans des centres d'hébergement où ils n'ont absolument rien d'important à faire. Plus de rôle à jouer et zéro sur le plan de la sécurité émotive! Nous en faisons des légumes, contre leur gré. Nous les oublions bien vite et ils en viennent à se sentir tout à fait inutiles, aussi bien vis-à-vis de la société que vis-à-vis d'eux-mêmes.

Et pourtant, il serait si facile de leur faire jouer le rôle qui leur incombe par tradition.

Et les enfants dans tout cela? Trouver une gardienne d'enfants à la maison n'est pas facile. Les placer dans une garderie n'est guère plus facile et nous ne sommes jamais sûrs du résultat. Peut-être tomberons-nous sur une garderie où nos enfants seront obligés, dès l'âge de quatre ans, de chanter l'«Internationale», ou sur une autre où les enfants doivent se mettre tout nu à trois heures de l'après-midi tout simplement parce que les jeunes moniteurs qui s'occupent d'eux sont frustrés de ne pas avoir pu faire de même quand ils étaient jeunes. (Et n'allez pas croire que j'invente. Ce sont de vrais exemples que d'aucuns connaissent.)

Or, rapprocher les enfants des personnes âgées humaniserait les rapports entre les deux générations. Au mieux, le manque de communication actuel entre les très jeunes et les très vieux constitue une perte pour les deux. Au pire, cela peut entraîner l'écroulement de nos sociétés.

Dans les centres d'hébergement pour vieillards, il serait très certainement possible d'organiser la garde des enfants sur une base de vingt-quatre heures par jour. Car, on pourra toujours trouver des résidents permanents capables de travailler de nuit tout simplement parce qu'ils n'arrivent pas à trouver le sommeil.

Par ailleurs, ces centres possèdent déjà toutes les installations nécessaires, surtout en ce qui a trait aux services médicaux et aux besoins alimentaires.

Combien nous en coûterait-il? Je n'en sais rien, mais je gagerais, comme ça au pif, que ça coûterait la moitié moins cher. Quand on sait que nos besoins sont de plus en plus importants mais que nos moyens financiers sont fort limités, ce serait vraiment un luxe que de s'en priver.

Nous savons que notre société vieillit de plus en plus rapidement. Et nous constatons également que le noyau familial traditionnel tend à éclater pour être remplacé par la famille monoparentale. On commence à peine à en imaginer les conséquences.

Or, voici la solution idéale. Une solution pour toutes les générations. Et je crois qu'elle vaut la peine que nous l'expérimentions.

Quelle bonne idée pour Noël que de vouloir redonner la vie aux personnes âgées tout en permettant à nos jeunes de commencer la leur sur le bon pied!

Qu'est-ce que vous en pensez?

The Gazette,
1982

Claude Charron

Claude Charron est mon ami et j'en suis fier. D'abord, parce c'est quelqu'un de très humain: c'est là l'aspect le plus important. Ensuite, parce que c'est un politicien chevronné, et ça, ça intéresse tout le monde.

Mon ami a commis une erreur regrettable. Mais sa punition est tellement disproportionnée que ça en devient injuste. Et je n'aime pas l'injustice.

Ne sautons pas tout de go aux conclusions: personne ne nie — et surtout pas Claude Charron — qu'il a volé un veston chez Eaton. Et personne ne nie à ce magasin le droit de le traduire en justice.

Aussi, Claude Charron a-t-il été emmené devant les tribunaux; il a été trouvé coupable et condamné à payer une amende de trois cents dollars.

Jusqu'ici, tout est sous contrôle.

Mais nous devenons irrationnels lorsque nous commençons à nous questionner sur les raisons qui ont poussé Charron à commettre un tel acte, ou lorsque nous voyons dans le geste du magasin Eaton une vengeance politique, ou encore lorsque nous comparons Charron à Francis Fox, Jean Marchand ou André Ouellet.

Ces gens-là, c'est un fait, occupent des fonctions publiques. Mais là où ça devient injuste de notre part, c'est lorsqu'on exige qu'ils paient davantage pour les «crimes» qu'ils ont commis à cause justement de leurs fonctions.

D'accord, ils devraient donner l'exemple! D'accord, ils doivent être le plus droit possible s'ils veulent mériter notre confiance! D'accord, nous devrions être très sévères à leur égard si jamais ils se laissent corrompre à même leurs responsabilités!

Mais, n'auraient-ils pas droit, de temps en temps, à l'erreur, eux aussi, comme cela nous arrive à nous? N'auraient-ils pas droit de tomber en chemin, eux aussi, comme cela nous arrive à nous? N'auraient-ils pas droit d'être humains, eux aussi, comme nous le somme tous?

Je vais être cynique: combien de personnes, à travers le Canada, au cours des vingt dernières années, ont perdu leur emploi parce qu'elles ont volé un veston d'une valeur de cent vingt dollars? Très peu, je présume. Étaient-elles meilleures que Charron? Avaient-elles plus fait que Charron? Faisaient-elles du meilleur travail que Charron? Menaient-elles une vie plus exigeante? Avaient-elles plus de «droits» que Charron?

Alors, Claude Charron a démissionné de son poste de ministre (et je crois qu'il a bien agi), mais certains voudraient qu'il quitte la politique à tout jamais, qu'il rentre chez lui et qu'il s'excuse publiquement de sa conduite, à genoux s'il vous plaît, et en se battant la coulpe.

Pas question, je ne suis pas d'accord!

Ce serait beaucoup trop injuste d'exiger cela de lui. Si nous demandons justice à nos représentants, nous devons également demander justice *pour* eux.

Et je demande justice pour lui.

J'étais parmi ceux qui se sont réjouis lorsque Francis Fox a été réélu par les électeurs de son comté. Voilà des citoyens suffisamment tolérants et généreux pour analyser la situation et pour comprendre son comportement humain. Et je suis très heureux de savoir qu'il est de retour au travail.

Je crois que Charron mérite le même traitement.

Mais il y a tellement de mauvaises langues tout autour qu'il n'a plus le choix: il devrait retourner devant ses électeurs pour obtenir justice. Sans plus tarder.

Plutôt que d'attendre trois ans, plutôt que d'endurer les insultes et les quolibets de certaines personnes haineuses, plutôt que de traîner sa culpabilité tout ce temps, plutôt que de faire rire de lui par des gens qui commettent plus de crimes en une seule journée que lui durant toute sa vie, plutôt que d'endurer tout cela, il devrait, à mon avis, exiger des élections partielles dans son comté. Grâce à la tolérance et à la générosité de ses électeurs, il pourrait ainsi recouvrer sa dignité.

Charron est un homme bon et un bon politicien. Il a payé plus qu'il ne faut pour son geste. Que diriez-vous, donc, de mettre fin à cette triste histoire? Eh bien, la seule façon d'y mettre fin, c'est qu'il retourne devant ses électeurs.

Je suis au nombre de ses électeurs. Je vis dans le comté de Saint-Jacques, et je vais voter pour lui.

Mais ce ne sera pas par pitié. Et encore moins par amitié.

Je vais voter pour lui à cause de ses compétences. Je vais voter pour lui parce que c'est un maudit bon gars et un maudit bon politicien.

Claude Charron est mon ami. Essayez, vous aussi, de vous en faire un ami: vous ne le regretterez pas.

The Gazette,
1982

Le racisme ordinaire

La face hideuse du racisme. Vingt-cinq chauffeurs de taxi haïtiens ont perdu leur emploi, et nous en sommes tous responsables. Il y aura bien une enquête pour déterminer si la compagnie qui les employait a pratiqué le racisme à leur égard, mais je suis sûr que là n'est pas la faute. Même si elle était trouvée coupable, ça ne changerait rien au problème. Le problème, il est en chacun de nous.

J'ai un ami qui n'est pas raciste, du moins c'est ce qu'il affirme. Il possède une automobile; il ne prend donc jamais le taxi. Mais il est tout de même convaincu que les chauffeurs de taxi haïtiens ne connaissent pas la ville. Dans le fond, il est raciste, mais il refuse de l'admettre.

Procédons par étapes. Moi, je prends des taxis assez fréquemment. Il y a quelques années, les chauffeurs de taxi haïtiens — pas tous, certes, mais un bon nombre d'entre eux — ne connaissaient pas la ville, et c'était fort compréhensible puisqu'ils ne faisaient que débuter dans le métier. Rien à voir avec la couleur de leur peau! Pour les chauffeurs blancs, c'est le même problème lorsqu'ils sont nouveaux. Car il y a une sacrée marge entre réussir aux examens et connaître toutes les petites rues comme le fond de sa poche.

Les choses ont évolué depuis. Soit, il arrive encore parfois qu'un chauffeur de taxi — blanc ou noir — hésite lorsque je lui donne ma destination et qu'il me demande quel est le meilleur chemin pour s'y rendre, mais il n'y a rien de plus normal. Et je l'affirme avec force — car mon usage abondant de taxis m'y autorise —, quatre-vingt-dix-neuf pour cent des chauffeurs de taxi haïtiens connaissent parfaitement leur métier.

Puis-je ajouter que je les trouve charmants, polis et compétents dans tous les domaines. Il m'arrive souvent de converser avec eux, et je trouve qu'ils connaissent généralement mieux leur pays d'adoption que les Québécois eux-mêmes.

Puis-je ajouter que nous n'avons jamais eu de problème avec la population noire à Montréal. Les deux communautés noires de Montréal, anglaise et française, nous offrent une image très positive d'elles-mêmes, et nous avons fort à gagner à suivre leur exemple.

Je dirais plutôt que le problème, il est blanc. Nous sommes racistes, un point c'est tout! Nous appartenons à ce genre de racistes insidieux. Des racistes qui ne veulent pas se l'avouer. Comme mon ami.

Et c'est justement parce que nous ne voulons pas nous l'avouer que nous continuons d'être racistes.

Un problème est à moitié résolu lorsque nous commençons d'abord par le reconnaître. Et il faut bien admettre que la majorité des gens, quelle que soit leur nationalité, sont racistes.

J'irais même plus loin: je dirais que c'est normal d'être raciste, mais qu'il est criminel de le demeurer. C'est normal parce qu'étant humains, donc faibles et craintifs, nous avons peur de tout ce qui est différent de nous. Nous ne comprenons pas, nous n'acceptons pas la différence.

Il y a un autre type de raciste. Celui-là ne craint pas de l'admettre publiquement, il s'y complaît, et il s'en prend à tous ceux qui sont différents. Celui-là devrait être condamné. Mais au moins on sait à quoi s'attendre avec lui!

Les racistes inavoués préfèrent parler de la pureté de leurs intentions. Ils trouvent toujours dix mille excuses pour justifier leur comportement raciste, comme le fait mon ami justement, ou ceux qui en demandant un taxi par téléphone, exigent que le chauffeur soit blanc. C'est pas parce que nous sommes racistes, disent-ils, c'est parce que les chauffeurs noirs ne connaissent pas la ville.

Tout ça, c'est des histoires!

La meilleure façon de combattre notre racisme, c'est justement de l'admettre. Pas nécessairement sur la place publique, mais d'abord et avant tout dans notre tête.

J'ai eu des attitudes racistes toute ma vie. Que celles-ci aient été innées ou qu'elles proviennent d'une influence extérieure, ça importe peu. Ce qui importe, c'est de savoir que j'ai été raciste. Je ne peux pas dire aujourd'hui si je suis tout à fait guéri de cette infamie, mais je sais, en tous les cas, que je me porte beaucoup mieux maintenant. Certes, il m'arrive encore d'avoir certaines réactions épidermiques, comme tout un chacun, que nous soyons blancs ou noirs, mais je suis beaucoup moins raciste aujourd'hui que je l'étais il y a vingt ans.

J'ai dû d'abord m'avouer à moi-même que j'étais raciste. J'ai dû d'abord arrêter de jouer au blanc-libéral-bien-pensant-qui-a-des-amis-qui-sont-noirs et commencer par me voir tel que j'étais. Une fois cela admis, j'ai pu me mettre au travail. Un travail tout à fait personnel. Ce fut une sacrée job, et ça se comprend. Mais c'est la seule façon de s'en sortir.

Je m'en porte mieux maintenant, mais je suis loin d'être parfait. Toutefois, je connais mes limites et je n'essaie plus de trouver toute sorte d'excuse.

Je ne dirai jamais que je compte quelques noirs

parmi mes meilleurs amis, parce que c'est faux. Je ne dirai jamais qu'ils se ressemblent tous, parce que c'est faux. Je ne dirai jamais qu'ils dansent tous mieux que moi parce que c'est faux. Et je ne dirai jamais que j'aime tous les noirs que j'ai rencontrés, parce que c'est faux.

J'essaie de ne tenir compte que de leur valeur pour déterminer si je dois les aimer ou ne pas les aimer. Je ne veux surtout pas les surestimer du simple fait qu'ils ont la peau noire, de la même façon que je me fais un devoir de ne pas les détester du fait qu'ils ont la peau noire. Le racisme, c'est souvent une surenchère, aussi bien dans l'amour que dans la haine qu'on éprouve envers les gens différents de nous.

Ce n'est pas une loi qui mettra un terme au racisme. Je crois davantage à la transformation des mentalités. Admettre que nous sommes racistes. Admettre qu'il y a un problème blanc.

Nous pourrions commencer par ne jamais exiger que ce soit un chauffeur blanc qui nous conduise. Nous pourrions commencer en montant dans un taxi sans regarder, au préalable, si le chauffeur est blanc ou noir.

Nous pourrions commencer par nous assumer. Assumer ce que nous croyons être: des êtres humains et civilisés.

Je le répète: il est presque normal d'être raciste, mais il est criminel de le demeurer.

The Gazette,
1982

Personne ne vaut un million

Ce n'est pas l'économie qui est en faillite, c'est tout notre système de valeurs qui l'est.

Wayne Gretzky touchera un million de dollars par année, rien de moins, rien de plus! Personne, pourtant, absolument personne ne mérite autant. Alors, pourquoi lui donner tant d'argent? C'est sans doute parce que nous sommes prêts à payer un peu plus cher pour le voir jouer au hockey. C'est sans doute parce que nous croyons que tout le monde a le droit d'essayer d'avoir le maximum.

Gérald Bouey, le gouverneur de la Banque du Canada, a vu récemment son salaire passer de quatre-vingt-quinze mille à cent quarante-deux mille dollars. Pourquoi pas, après tout? Si Gretzky peut toucher un million sans assumer de responsabilité d'aucune sorte, pourquoi le gouverneur de la Banque du Canada, qui porte un lourd fardeau sur les épaules, ne pourrait-il être augmenté chaque année?

Les chauffeurs d'autobus, qui ont fait la grève il y a quelques semaines, réclament une augmentation de salaire de vingt-cinq pour cent. Certains sont scandalisés. Mais pourquoi n'y auraient-ils pas droit? Ils sont certainement plus utiles à la société que Gretzky ou Bouey. Si la limite, c'est le ciel, pourquoi ne pas se rendre au ciel?

Là où ça accroche, c'est que nous sommes prêts à payer le prix pour Gretzky, mais pas pour les chauffeurs d'autobus.

Nous acceptons que les riches deviennent plus riches, et nous contribuons avec empressement à leur enrichissement. Et loin de condamner cette augmentation stupide, nous nous lançons nous aussi dans cette course à la hausse. Si Gretzky le peut, je le peux moi aussi! Telle est la façon dont nous raisonnons.

Y a-t-il quelqu'un qui se soit scandalisé de l'augmentation de salaire de Gérald Bouey? Y en a-t-il qui se soient scandalisés du nouveau contrat de Gretzky? Très peu! À peine avons-nous levé le sourcil. Et depuis que tout devient de plus en plus cher — parce que les riches deviennent plus riches — nous n'avons rien trouvé de mieux que de demander l'indexation de nos salaires sur le coût de la vie.

Qu'est-ce que l'indexation? Lorsque votre salaire est indexé, vous êtes assuré que votre pouvoir d'achat sera maintenu année après année, indépendamment du niveau de vie. À première vue, ça peut sembler une excellente solution. Mais, à y regarder de plus près, c'est une solution superficielle, qui sert plutôt les intérêts des mieux nantis.

Prenons un exemple. Supposons que je vends des œufs à un dollar pièce. Dès que j'apprends que votre salaire a été indexé, je décide d'augmenter mes œufs à deux dollars, car je sais pertinemment que vous êtes en mesure de payer ce prix puisque vous ne perdez jamais votre pouvoir d'achat.

Pourquoi déciderais-je de baisser le prix de mes œufs? Au contraire, il est dans mon intérêt d'augmenter mes prix le plus rapidement possible. Même si mes coûts de production, eux, n'augmentent pas.

Je vais, de la sorte, m'enrichir. Mais vous, qui avez

des salaires indexés, vous ne le pourrez jamais. L'indexation me permet, à moi, de demander toujours davantage pour mes produits, tandis qu'à vous, elle ne vous offre que la possibilité de me poursuivre éternellement. Et, bien sûr, vous ne pourrez jamais me rattraper.

L'indexation n'est qu'un truc pour enrichir les riches, rien de plus. Or, si l'indexation est une illusion pour ceux qui en «profitent», elle est une tragédie pour ceux qui ne sont pas indexés.

Depuis que j'ai trouvé mon profit en haussant mes prix en fonction de l'indexation des salaires, je n'ai plus à me soucier de ceux qui ne bénéficient pas de l'indexation. Ces derniers ne peuvent pas supporter la hausse des prix, ils ne peuvent pas acheter mes produits, ils deviennent de plus en plus pauvres et ils sèchent.

Comme la majorité des travailleurs n'ont pas leurs salaires indexés, ils sont laissés pour compte. Et nous appelons cela la «crise économique».

Le problème, c'est que notre économie ne sert qu'une minorité. Les riches deviennent plus riches. Les travailleurs organisés sont tranquilles même s'ils ne gagnent pas plus, finalement. Et la majorité de la population en prend pour son rhume!

Et le pire, c'est que nous acceptons ça! Ce sont les riches qui provoquent l'inflation, et ce sont les pauvres qui paient. Gretzky contribue à l'inflation, mais personne ne dit mot. Nous acceptons tout simplement de payer un peu plus pour le voir évoluer.

Et lorsque je vends mes œufs le plus cher possible, plutôt que de refuser de les acheter, vous réclamez l'indexation.

Qui se préoccupe des taux d'intérêts élevés? Riche, je n'ai plus à courir de risque et je place mon argent dans des institutions financières. Je ne perds rien, et je gagne beaucoup. Ça crée de l'inflation. Pourtant, on continue de nous dire que les hauts taux d'intérêts servent à combattre l'inflation!

Voilà pourquoi je dis que nous sommes moralement en banqueroute. Parce que nous acceptons un système par lequel une minorité s'enrichit aux dépens de la majorité. Parce qu'on nous a dit — et nous y croyons — que nous pouvons devenir aussi riches que les riches. Quelle illusion!

Parce que nous aimons le hockey... à n'importe quel prix.

The Gazette,
le 23 janvier 1983

Les Québécois et la justice

Il est toujours imprudent de généraliser mais il n'en reste pas moins que les peuples, pris dans leur ensemble, donnent souvent d'eux-mêmes une image collective qui n'est pas sans être fondée dans leurs mœurs et leurs habitudes.

On peut abuser de la généralisation, bien sûr, et n'observer les groupes qu'à partir du portrait général qu'ils donnent d'eux-mêmes. Et on peut facilement tomber dans la caricature si on ne retient des Français que leurs fromages et leurs parfums, des Anglais que leur morgue et leurs brumes, des Allemands que leur discipline et leurs supermécaniques, des Américains que leur naïveté et leurs bermudas shorts.

Pourtant, il est des comportements collectifs si réels et si apparents même aux yeux de l'observateur le plus distrait, qu'on peut en tirer au moins une partie de la vérité.

Le peuple québécois ne fait pas exception à la règle et c'est pourquoi, malgré quelque hésitation, je vais tenter, dans les mois qui viennent, de tirer, aussi fidèlement que possible, notre portrait collectif.

Il m'a semblé normal d'essayer de voir d'abord comment nous nous comportons face à la justice.

Il faut dire en premier lieu que, à l'instar de tous les peuples conquis, nous avons été familiarisés très tôt avec les rigueurs de la loi sans pour autant y découvrir la justice.

C'est sans doute ce qui explique notre crainte, à la fois frondeuse et soumise devant la loi et la difficulté que nous avons à éprouver le sentiment de justice.

Nous nous rions des lois et nous les transgressons joyeusement (pas vu pas pris), mais nous tremblons devant le policier et l'appareil judiciaire. Nous méconnaissons la vertu des lois pour ne vivre que leur effet répressif.

Le principe de justice, dans l'organisation de la société, nous échappe; les lois ne sont souvent pour nous que des embêtements irrationnels (et elles le sont, hélas! trop souvent) qui, loin de protéger la liberté des autres, ne servent qu'à brimer la nôtre.

Le principe de justice a été remplacé chez nous par le principe de satisfaction personnelle. Je dois être complètement satisfait, dans n'importe quelle circonstance, et si nécessaire au détriment de l'insatisfaction de tous.

Nous n'avons pas complètement tort de nous méfier de la loi. Plus souvent faite pour protéger les puissants et les riches contre les faibles et les pauvres, elle nous donne rarement d'elle-même l'image que nous serions en droit d'en attendre.

Mais si nous étions habités du sentiment de justice, nous ferions des pieds et des mains pour que la loi se conforme à l'idée que nous nous en faisons.

Mais il n'en est rien. Nous restons indifférents, la plupart du temps, devant les pires injustices, et nous nous réjouissons maladivement quand la loi frappe à l'aveuglette autour de nous sans nous toucher personnellement.

La loi peut être embêtante et nous nous faisons fort de la violer allégrement, mais nous sommes si respectueux de toutes les autorités traditionnelles que le bras de la loi peut frapper sans que nous nous émouvions outre mesure.

Nous nous méfions de la loi mais nous faisons confiance à qui l'applique. Nous sommes incapables d'imaginer l'innocence de celui qui a eu le malheur de se faire prendre. La police et l'appareil judiciaire ont toujours raison... quand il s'agit du voisin.

Nous fermons les yeux sur les pires crimes s'ils demeurent ignorés de la police, mais nous transformons en crime la moindre peccadille aussitôt que la police s'en mêle. Nous croyons fermement que la police ne s'occupe que des coupables et que l'appareil judiciaire, symbole de toute autorité, est incapable de bavures.

Nous serions facilement anarchistes si nous n'en étions empêchés par notre respect maladif de l'autorité.

Nous sommes un peuple à prétextes.

Toutes les justifications sont bonnes pour faire fi de la loi ou pour ignorer la justice.

«Je ne vole que les riches.» Il y a plein de voleurs qui utilisent ce prétexte. Ils font souvent le contraire mais nous n'en avons cure puisqu'il nous plaît de croire sur parole ces faux Robin des Bois.

«Je suis contre la propriété. Si je vole c'est pour abattre le système.» C'est plus subtil mais c'est encore un prétexte.

«Je vole parce que je mérite plus que ce que je ne reçois.» Prétexte. Le voleur n'est-il pas toujours le seul à déterminer son mérite?

La légitime défense a pris un sens si large qu'elle finit par justifier toutes les agressions, si gratuites soient-elles.

Mais il faut voir avec quelle fureur se défend le voleur volé ou l'agresseur agressé! C'est un beau spectacle.

Les prétextes qui nous servent à contourner la loi ne sont pas tout à fait les mêmes qui nous servent à ignorer la justice mais ils sont tout aussi éloquents.

Ainsi, le plus courant: «Il y aura toujours des pauvres.» Ce qui permet de se remplir les poches sans éprouver d'autre sentiment de culpabilité.

Le plus lâche: «Moi je ne me mêle pas des affaires des autres. Vivre et laisser vivre.» Ce qui permet de s'abstraire de toutes les situations embêtantes.

Le plus arrogant: «La liberté c'est sacré.» Ce qui permet de fouler aux pieds celle des autres.

Le plus hypocrite: «Moi, je ne fais pas de politique.» Ce qui permet à n'importe quel politicien véreux d'en faire sur notre dos.

Le plus pédant: «Moi, je m'en suis sorti, qu'il fasse comme moi.» Ce qui permet d'ignorer qu'on s'en est sorti en écrasant les autres. Très utilisé chez les fascistes.

Le plus à la mode: «C'est mon droit.» Ce qui permet de transformer en droit fondamental tout ce qui, jusqu'à ce jour, ne fut que privilège. Très utilisé chez les gauchistes.

Le plus québécois: «Ça se fait comme ça en Ontario.» Ce qui permet de n'en pas faire plus ou d'en réclamer autant, quelles que soient les circonstances particulières dans lesquelles nous nous trouvons.

Justification. Prétextes.

Nous réclamons le maximum d'ordre dans la plus entière liberté. Nous comptons sur la loi pour nous assurer l'un et l'autre et nous comptons bien que les autres s'y conformeront.

Nous n'avons pas encore tout à fait compris que seule la justice peut nous faire atteindre cet objectif.

Ce n'est pas que nous soyons si différents des autres sur ce point mais il me semble que si ce comportement ne nous distingue pas, du moins il nous caractérise. N'est-ce pas suffisant pour en parler?

Pourtant, à l'intérieur de ce comportement, il est un

trait qui nous est particulier et qu'on ne saurait taire: face à la justice, nous éprouvons un sentiment d'impuissance qui nous rend défaitistes jusqu'à l'abandon.

Nous démissionnons facilement.

Au fond, nous n'y croyons pas vraiment. Habitués que nous fûmes à n'imaginer la justice que dans la mort et dans l'au-delà, nous avons toutes les peines du monde à imaginer que nous pourrions en obtenir une mesure sur cette terre.

Les Américains y croient et ils entreprennent des batailles considérables pour n'en obtenir, parfois, qu'une infime partie. Les Français y croient autrement; ils en discutent inlassablement et ne se contentent pas du coup par coup, comme les Américains. Avec eux, c'est le tout ou rien. Vive la révolution.

Les Anglais y croient (pour eux, pas nécessairement pour les autres) et ils ont mis toute leur existence à construire des institutions qui pourraient leur permettre d'avancer dans la bonne voie.

Mais les Québécois? Nous n'y croyons pas encore. Mais ça vient.

Un seul petit exemple.

J'ai rencontré récemment, en Abitibi, un agriculteur.

Il m'a dit: «Le zonage agricole? C'est mauvais pour moi mais c'est bon pour le Québec. Alors je suis pour.»

C'est peut-être ça, le sentiment de justice.

Nous,
mars 1980

Inédit

L'indicible tendresse

Quand Victor-Lévy Beaulieu me demanda de lui fournir un inédit qu'il voulait joindre à tous ces textes un peu surannés, je ne pus que lui répondre que je n'avais jamais publié d'inédits.

Il y tenait pourtant et je ne saurai jamais le convaincre que le texte qui suit et qu'il a tant imploré, n'est et ne sera jamais plus inédit que les autres.

J'ai pourtant cru, pendant un certain temps, qu'il pourrait être posthume puisque, conscient d'avoir perdu l'usage de la passion et convaincu de ne jamais le retrouver, je n'étais plus que l'ombre de moi-même, le reflet de ce que j'avais été. Je pouvais parler de moi au passé, je n'avais plus que les apparences de la vie, comme la plupart des morts-vivants qui m'entourent qui, dépourvus de passion, s'entretiennent dans l'illusion de vivre pour ne pas avoir à se démontrer qu'ils existent.

J'ai même annoncé publiquement que je n'avais plus de passions et que, désormais, je pourrais jouir en paix de mon bien-être.

Quelle témérité et quel mensonge! J'aurais dû savoir que la passion revient toujours au moment où on s'y attend le moins et que le bien-être n'est pas mon lot. Homme de tourment et de tourmentes, que pouvais-je bien faire de ma «tranquille sérénité» sinon accepter bêtement qu'on m'en affublât.

L'œil plutôt vide, le sourire plutôt insignifiant, la pensée plus souvent qu'autrement absente, la parole lénifiante, j'étais omniprésent aux yeux des autres qui commençaient à me trouver encombrant et totalement absent à moi-même.

On pouvait me voir à la télévision, m'entendre à la radio, me lire dans les gazettes et dans les beaux livres que mes éditeurs me réclamaient; on pouvait payer huit dollars pour venir m'entendre répéter ce que j'avais raconté gratuitement pendant vingt ans; on me payait cher pour pontifier publiquement sur tous les sujets à la mode; on m'encensait de tous les parfums, on me réclamait de toutes parts, on me poursuivait de toutes les assiduités. On ne parlait plus que de ma «tranquille sérénité». Vaniteux, j'acceptais tous les compliments avec grâce et c'est sans grâce aucune que j'en remettais.

Je baignais béatement dans ce magma dérisoire quand soudain, inattendue et venue de nulle part, la foudre éclata.

Dépourvu de paratonnerre — je n'ai jamais su me protéger adéquatement — je pris feu instantanément et je m'embrasai. Le coup de foudre me laissait aussi démuni que la première fois. Moi qui n'avais pas aimé depuis près de dix ans et qui croyais bien avoir fait mon deuil de toute exaltation, voilà que je ressuscitais violemment et que je quittais le purgatoire pour m'envoler vers le septième ciel.

La passion. Amoureuse de surcroît. Encore une fois. Toujours la même: intrigante et certaine, ennivrante et dévastatrice, sournoise et exigeante. Totale liberté. Aigre-doux esclavage. Qui rend l'homme semblable à la bête et souvent le fait mourir.

La passion, sans quoi la vie ne vaut pas la peine d'être vécue. L'amour, sans quoi la passion n'est qu'agitation épidermique. La totalité: le cul, le cœur et la tête. La plénitude des sens — qui s'étaient peut-être atrophiés en chemin — et la perte de la raison — qui en prouve l'existence.

Générosité excessive, égoïsme jaloux. Les extrêmes enfin réconciliés dans l'éclatement du corps et de l'esprit. L'escarmouche de tous les instants à l'intérieur d'une paix jamais déclarée.

Tomber en amour. Tomber comme on tombe par terre en se faisant très mal. Tomber comme on perd l'équilibre. Tomber la tête la première. Tomber comme on tombe dans les pommes. Tomber de haut. Tomber comme on tombe dans les bras de quelqu'un. Tomber comme l'objection qui tombe. Tomber comme on tombe son voisin ou sa voisine. Tomber comme le jour tombe et que vient la nuit. Tomber comme la colère qui tombe. Tomber à bras raccourcis. Tomber en chute libre. Tomber comme les paroles me tombent de la bouche quand je déraisonne en parlant de l'amour. Tomber comme le bonheur qui nous tombe dessus. Tomber en enfance. Tomber d'accord. Tomber sous le sens, sous les sens. Tomber raide mort.

La chute vertigineuse qui n'est rien d'autre qu'une ascension à l'envers.

Tomber toujours plus haut.

Tomber, quoi! T'sais veux dire?

À cinquante ans, je me crois plus prudent qu'autrefois. Je me dis qu'il ne faut pas couper tous les ponts derrière moi et qu'il vaut mieux me réserver quelque porte de sortie. Je me dis encore que je ne serai pas jaloux, pour une fois, et que je n'aurai jamais plus mal au ventre... en l'attendant.

Je me donne quelques conseils de bon aloi: «Ferme ta gueule. Tu parles trop. Apprends à écouter!» Puis: «Mets-en pas trop. Donnes-en pas trop. Dis-en pas trop!» Puis encore: «Mets-toi pas à quatre pattes. Reste toi-même. Fais pas le niaiseux.»

Autrement dit: «Embarque-toi pas trop Bourgault.

Retiens-toi. Brûle pas tes cartes.»

Vous voyez le genre d'ici. Hélas! ou tant mieux, ce n'est pas le mien.

C'est cul par-dessus tête en partant. Débile. Démuni.

Et le pire c'est que j'y crois. Je crois qu'il faut «s'embarquer» et je reproche à ceux et celles qui ne le font pas de ne pas aller au bout de leur passion et, partant, de ne jamais en découvrir la véritable richesse.

Je crois aussi que si on n'est pas jaloux, on n'aime pas vraiment. Et j'ai beau me raisonner, me compter des peurs, me reprocher ma naïveté et mon intransigeance, je sais malheureusement trop bien ce qui m'attend. Le scénario conventionnel:

«Bon, j'avais rendez-vous avec lui à trois heures. Il est quatre heures et il n'est pas encore là. Je veux bien lui donner une chance et l'attendre encore un peu mais s'il n'est pas là à cinq heures, je vais sûrement perdre patience. Six heures. J'en ai assez. Il pourrait au moins téléphoner. O.K. Sept heures, pas une minute de plus. Il a dû avoir un empêchement, peut-être même un accident. Soyons raisonnable. Huit heures. Mais là, s'il n'est pas arrivé à huit heures, je l'attendrai jusqu'à neuf heures mais à dix heures, s'il n'est toujours pas là, je vais prendre la décision de ne plus l'attendre. À onze heures, je me prépare à partir et à minuit je m'en vais. Pas une seconde de plus. Quand il arrivera, je ne serai plus là et il sera bien puni!»

Jaloux moi? Oui, un peu. Beaucoup. Énormément.

Évidemment, je me le cache un peu en tentant de me convaincre qu'au fond je ne suis «qu'attentif aux besoins de l'autre».

Et vogue la galère. Plus «embarqué» que jamais. Plus exhalté que jamais. Plus amoureux et démuni que jamais. Avec quelques jours de répit que je m'accorde de temps en temps pour me convaincre de rester fort et lucide et de ne rendre que ce qu'on aura bien voulu m'accorder en premier lieu.

Je ne suis plus masochiste, m'en vais-je répétant à qui veut m'entendre. Et c'est vrai. Oh! je ne dis pas, une petite souffrance par-ci par-là, une petite douleur de temps en temps n'a jamais fait mourir son homme et ça met un peu de piquant dans les relations! Non?

Ben... oui... peut-être.

Je suis amoureux, vous m'entendez? Et je crois encore que ça va durer toute la vie. Remarquez qu'à cinquante ans, on court moins de risques. À vingt ans, quand on s'embarque pour la vie, c'est tout un contrat. Mais à cinquante... Et à quatre-vingts...

Au fond, on devrait peut-être toujours attendre d'avoir quatre-vingts ans pour devenir amoureux. Ainsi, quoi qu'il advienne, on est à peu près sûr que ça durera toute la vie... à moins de mourir entre-temps.

Je ne sais pas pourquoi je vous raconte tout cela.

Ou plutôt si, je le sais. Parce que j'ai envie de vous le dire, parce que j'ai envie de le crier au monde entier. Parce que, pour moi, l'amour c'est la liberté. C'est ma liberté. C'est la passion enfin retrouvée. C'est la vie. La vraie vie. La seule vie que je veux vivre.

À cinquante ans, on ne parle pas de liberté comme on en parlait à vingt, dieu merci! et c'est avec beaucoup de retenue qu'en s'adressant à un garçon de vingt ans, on ose lui avouer les modestes conquêtes de sa propre liberté.

Ma liberté, c'est l'amour.

C'est que la liberté de l'un ressemble si peu à la liberté de l'autre et tel, qui se voit enchaîné, se prend à rêver d'être contraint davantage pendant que tel autre, qui court les champs librement, se plaint, au nom de la même liberté, de n'avoir pas de plus vastes espaces à parcourir.

Ma liberté, c'est l'amour.

À vingt ans, on exige la liberté d'être avec tous. À cinquante, on se contente de la liberté d'être avec soi-même. À vingt ans, on exige la liberté de voyager à travers le monde pour tenter d'y découvrir la vérité des autres. À cinquante, on n'en finit plus de voyager chez soi à la recherche de sa propre vérité. À vingt ans, on voudrait tout faire en même temps et tout obtenir d'un seul coup. À cinquante, on cherche le temps de ne faire qu'une chose à la fois et on rêve de n'obtenir que ce qu'on a découvert d'essentiel.

L'essentiel c'est l'amour.

À vingt ans, on se croit libre si on n'est attaché à rien ni à personne. À cinquante, ce genre de liberté répugne et les quelques biens et les quelques personnes auxquels on a réussi à s'attacher deviennent précieux en nous rappelant la liberté qu'on a eue de les choisir.

Je choisis l'amour.

Faire semblant de choisir l'amour. Comme si on avait le choix d'y résister.

S'embarquer. Sans protéger ses arrières. Courir tous les risques. Pour le défi. Pour le plaisir, surtout celui qui permet d'aller plus loin avec quelqu'un plutôt que nulle part avec tout le monde.

La liberté de n'en avoir plus aucune en dehors de l'amour qui les contient toutes.

La liberté du corps qui n'a plus besoin de résister à aucune tentation et qui n'a pas besoin de la poursuivre en dehors de son aire.

La liberté de l'esprit qui n'a plus à se chercher d'objet de recherche et d'analyse et qui trouve, à portée d'imagination, sa nourriture quotidienne.

La liberté des sens enfin ressuscités: je le vois dans une splendeur qui ne luit que pour moi; je l'entends dans le cri comme dans le chuchotement, je l'entends quand il ne parle pas, je l'entends quand il parle avec les yeux ou qu'il tend la main, je l'entends quand il se détourne pour ne rien dire, je l'entends en écho quand je dis que je l'aime; je le sens, je sens qu'il sent bon, je le sens près de moi, je le sens absent et je le sens de loin, je me sens bien, je ne me sens plus de joie, ça sent le printemps chez moi; je le goûte et je retrouve le goût de vivre, tous les goûts sont dans sa/ma nature, je savoure, je déguste, je le goûte de la tête aux pieds, il goûte bon, il me semble que je goûte plus; je le touche, ferme et doux, tendre, proche, sans réserve, du bout des doigts, de toute la main, du bras comme de l'épaule, le ventre, la lèvre, le front, les cheveux, le sexe, je le touche en l'effleurant, en le bousculant, en le caressant, je le touche habillé, nu, éveillé et sommeillant, debout et couché, penché sur moi, de face et de dos, dans mes/ses bras, excité, excitant, repu, content. Toucher du bois.

À cinquante ans on n'a plus le corps qu'on avait, qu'on voudrait encore avoir, mais le sien est si beau.

Je voudrais parler de son intelligence, de sa tendresse et de ma folie.

Je voudrais parler de nos déchirantes libertés, toujours perdues et sans cesse reconquises.

Je voudrais vous parler du jour où je l'ai rencontré et du soir où nous nous sommes retrouvés.

Je voudrais ne parler que de lui en vous parlant de moi.

Je voudrais vous dire comment je l'ai retrouvé après l'avoir perdu et comment je me perds quand je le retrouve.

Je voudrais vous parler de son affection et de la mienne.

La tendresse, l'éblouissante tendresse. Celle qui, pour la première fois de ma vie, m'est donnée.

L'ineffable tendresse et l'indicible manière qu'il a de

la donner.

L'infinie tendresse jamais démentie.

Tendre, délicat, fragile, sensible. Mille et une tendresses.

La tendresse, ce sentiment si subtil qu'il est le seul à ne pouvoir être feint.

Je le sens maintenant, je le sais: ce que j'ai cherché toute ma vie, ce n'est pas l'amour, c'est la tendresse.

La tendresse enfin trouvée.

Je le vois dans une splendeur qui ne luit que pour moi.

Oui, je le vois, je le vois encore dans la splendeur mortelle des amours interdites et il me reste à vivre le temps qu'il a vécu.

Table

LANGUE

COMMUNICATION

UN PEU DE TOUT

INÉDIT

CET OUVRAGE
COMPOSÉ EN PALATINO MÉDIUM CORPS 12 SUR 14
A ÉTÉ ACHEVÉ D'IMPRIMER
LE VINGT AVRIL MIL NEUF CENT QUATRE-VINGT-TROIS
PAR LES TRAVAILLEURS DES PRESSES
DE L'IMPRIMERIE MÉTROPOLE LITHO INC.
À ANJOU
POUR LE COMPTE DE
VLB ÉDITEUR.

IMPRIMÉ AU QUÉBEC (CANADA)